Hijas únicas

Andreu Martín

Basado en una historia real

www.literaturasm.com

Dirección editorial: Elsa Aguiar
Coordinación editorial: Berta Márquez
Ilustración de cubierta: Juan Berrio

© Andreu Martín, 2012
© Ediciones SM, 2012
  Impresores, 2
  Urbanización Prado del Espino
  28660 Boadilla del Monte (Madrid)
  www.grupo-sm.com

ATENCIÓN AL CLIENTE
Tel.: 902 121 323
Fax: 902 241 222
e-mail: clientes@grupo-sm.com

ISBN: 978-84-675-5425-0
Depósito legal: M-4120-2012
Impreso en la UE / *Printed in EU*

Dedico esta travesura
a Verónica Vila-San-Juan,
que fue la primera que se interesó por el tema,
y a las dos auténticas protagonistas de la historia,
que hoy ya deben de haber cumplido los dieciocho,
y ya saben ellas quiénes son.

1

El patio de la escuela Martín de Porres está hundido entre grandes bloques de pisos con muchas ventanas abiertas porque acaba de llegar el verano.

... Tres, dos, uno...

Suena un timbre estrepitoso e inesperado, seguido por la explosión de un griterío agudo, parecido a la algarabía de los indios cuando bajaban por las colinas para atacar la caravana. A los vecinos se les ponen los pelos de punta; a una señora, el susto ha hecho que se le cayera un cacharro que llevaba en las manos. Un señor que sacaba punta a un lápiz con la ayuda de una navaja se ha hecho un corte en el dedo.

Es el recreo.

Niños, niñas y monjas corren de un lado para otro detrás de pelotas o detrás de otros niños y niñas. Hay risas, gritos, alguno se cae y llora, y otros se limitan a charlar.

Alicia y Paula son de las que charlan.

Sentadas en los escalones que conducen a los pisos superiores, están con las miradas perdidas en la nada y parecen tristes. Las dos comparten una misma desgracia y un mismo deseo: son hijas únicas y a las dos les gustaría tener un hermano.

–Ayer –está diciendo Paula– me estaba metiendo el dedo en la nariz. Hurgando porque tenía ahí dentro un moco seco que me hacía cosquillas y me molestaba. Y me ve mi padre y grita, muy preocupado: «¡Paulita! ¿Estás resfriada? ¿Te duele la cabeza? ¿Quieres tomar algo, una aspirina, un ibuprofeno…? ¿Has mirado si tienes fiebre?». Y yo le digo: «¿Por qué dices eso, papá?». «Porque veo que tienes mocos. Debe de costarte respirar. Eso significa que estás resfriada, y el resfriado a veces da fiebre y dolor de cabeza»… ¡Ufff! Estoy segura de que si tuviera un hermanito mi padre solo me hubiera dicho: «¡Nena, no te hurgues en la nariz!».

Siempre están hablando de lo mismo. Ser hija única es una lata: sus padres no las pierden de vista, todo el rato están pendientes de ellas, dándoles consejos y preguntándoles qué hacen y qué dejan de hacer.

Los dos matrimonios son muy diferentes, pero cada uno en su estilo resulta igual de cargante.

Los señores Vidal, padres de Alicia, son ruidosos, dinámicos, siempre sonrientes y animosos. Se pasan el día abrazados, van de aquí para allá agarrados de la mano, descaradamente felices e ilusionados por todo, se besan en cualquier sitio y ocasión, si pueden, y siempre tienen que estar haciendo algo. Son como protagonistas de un anuncio de televisión. No pueden quedarse quietos en su sitio y arrastran a Alicia con ellos sin darle reposo. Ahora vamos de excursión, ahora vamos al campo, ahora a la playa. Y en la playa alquilan un patín, o hacen remo, o practican voley o simplemente se persiguen entre las olas y se salpican emitiendo alegres carcajadas.

Alicia opina que son agotadores.

Los señores Gris, padres de Paula, son pacíficos y calmados, caseros y mesurados, muy prudentes en todo. Se pasan el día poniendo orden en casa, doblando manteles con mucho cuidado, susurrando sobre cosas serias, jugando con Paula a puzles y otros juegos educativos y hablándole del día de mañana.

–¡Son aburridísimos! –se queja su hija.

Los dos matrimonios se conocieron en la puerta del colegio o en las reuniones del AMPA, simpatizaron e hicieron amistad durante un encuentro de fin de semana que organizaron con todos los niños y padres de la clase en una casa de turismo rural. Conscientes del inconveniente que representa que las dos niñas sean hijas únicas, han adquirido la costumbre de pasar juntos los días de fiesta para que puedan jugar una con otra los fines de semana, y se van de excursión al campo o a la playa en verano, o montan partidas de cartas o dominó en invierno.

–A mí me gustaría que mis padres fueran como los tuyos, son tan tranquilos... –dice Alicia algunas veces.

Y Paula le replica:

–No sabes lo que dices. A mí me gustaría que mis padres fueran como los tuyos, son tan divertidos...

Las niñas suponen que si tuvieran un hermanito, al menos serían dos a repartir la atención paterna y tocarían a la mitad de consejos y control. Y además, tendrían alguien con quien jugar en casa, claro. O con quien pelearse. Con quien distraerse, en todo caso, y se ahorrarían esos largos tiempos muertos en que las ataca el aburrimiento.

–Y si tuviera dos hermanos, seríamos tres a repartir –especula Alicia Vidal, soñadora–. Y si tuviera tres, seríamos cuatro a repartir.

–¿Te imaginas que tuviéramos siete hermanos? –se ilusiona Paula Gris–. Jo, qué díver sería.

Se les va la mirada nostálgica hacia Mercedes Bordón, que camina un poco más allá hablando animadamente con otras tres compañeras. Mercedes sí que ha tenido suerte. Hace meses ya que es la protagonista de la clase, el centro de atención. No deja de hablar de lo que ha sucedido en su casa; las amigas la miran con veneración, las monjas le otorgan atención especial y se pasan horas hablando con ella.

El lunes anterior, en clase, Mercedes Bordón confesó que no había hecho los deberes y sor Julia le dijo:

–No importa. Tienes otras cosas más importantes en que pensar. No te preocupes.

¡Jo, vaya morro!

–¡Qué potra! –como dice Alicia, furiosa, convencida de que «potra» es un taco.

Hace tiempo que los padres de Mercedes Bordón se separaron. Y ahora su madre ha conocido a un señor que tiene dos hijas, de manera que Mercedes se ha encontrado, de pronto, con dos hermanas.

–¡Jo, vaya morro!

–¡Qué potra!

–¿Te imaginas? –suspira Paula, con chiribitas en los ojos.

Alicia se lo imagina y también suspira.

Y de pronto, esa mañana, las dos tienen la misma ocurrencia. Así son las cosas. Así es como llegan las ideas más revolucionarias. De momento, solo tenemos desolación, una angustia aplastante, un problema abrumador, el mundo es un desierto poblado por escorpiones; pero de pronto aparece una flor, y un árbol, y conoces a alguien que un día domesticó un escorpión y, en el instante siguiente, plaf, sumas dos más dos, y te encuentras con un vergel y un bosque, y hasta una productiva granja de escorpiones. Eso es lo que sucede ahora mismo en el cerebro de las dos muchachas. Cuando creían que su vida ya no tenía solución, aparece Mercedes Bordón, domadora de escorpiones, y les descubre que hay padres que se separan, y que los padres separados suelen tener hijos que, cuando los padres separados se juntan, se convierten en hermanos. E inevitablemente se preguntan: «¿Por qué no nosotras?», y se quedan con la palabra «nosotras» y repiten: «¡Nosotras!», y...

–Oye, ¿y si...?

–¿...Y si nuestros padres...? –continúa Alicia, pillándole la onda.

Y ya se atropellan las dos, hablando simultáneamente, como si se hubieran aprendido el mismo papel y lo recitasen a dúo, quitándose las palabras de la boca, la una a la otra:

–... Y si mi padre se enamorase de tu madre...

–... Y si el mío se enamorase de la tuya...

Se encienden luces destellantes en sus rostros.

–... A lo mejor, si mi padre se casara con tu madre –balbucea Alicia, insegura–, se calmaría un poco y sería menos gamberro...

–... Y a lo mejor –reflexiona Paula–, si mi padre se casara con tu madre, se volvería un poco más animado y divertido...

–... Si se casaran mi padre con tu madre y mi madre con tu padre...

–Entonces...

–¡Entonces...!

–¡Entonces, seríamos hermanas! –gritan alborozadas.

Bueno, es un sueño muy hermoso, como una película de Disney, con hadas y ratoncitos que hablan, pero, como las películas de Disney, no es posible, claro. Tanto los señores Gris como los señores Vidal son muy felices en su matrimonio, y no es probable que se puedan enamorar de nadie, así, de repente.

Pero...

... No obstante...

Las dos niñas se miran. Primero, de reojo, como para comprobar si la otra está pensando exactamente lo mismo. Luego, a los ojos chispeantes.

–¿Lo hacemos? –exclaman las dos a la vez.

Entonces suena el timbre ensordecedor, y niños y niñas corren a formar en filas controlados por las monjas, para subir de nuevo a las clases.

Paula y Alicia regresan al aula mucho más ilusionadas y esperanzadas de como habían bajado.

2

PAULA Y ALICIA han dicho que se iban al piso de arriba para jugar a su último invento, que consiste en construir laberintos con el juego de piezas de plástico.

Abajo, en el jardín, sus padres, los señores Vidal y los señores Gris, todavía están tomando las últimas cucharadas de helado en la sobremesa de un agradable almuerzo al aire libre. El césped del jardín se ve muy verde y brillante, hace sol y ya se agradece la sombra de los árboles y la brisa de primera hora de la tarde.

Joaquín Vidal está hablando de Bernardo, un empleado que tiene en la agencia de viajes que dirige. Se trata de un bromista compulsivo que se pasa la vida haciendo gamberradas a sus compañeros. Cuando está en la oficina, Joaquín Vidal se enfada mucho con el tal Bernardo y sus fechorías, y si no lo despide es porque el otro hace muy bien su trabajo, convence a muchos clientes y es muy simpático. Pero, en privado, se parte de risa contando las diabluras del empleado.

–El otro día –está diciendo ahora, semiasfixiado por la risa–, ¿sabéis qué hizo? Tapó la taza del váter con plástico transparente, del que se utiliza para envolver y conservar los alimentos. ¿Os dais cuenta? Cuando fue el siguiente usuario del retrete, no vio nada raro porque la película transparente estaba muy tensa, era invisible, de manera que, bueno, ya os lo podéis imaginar; no sé lo que iría a hacer el pobre hombre, pero bueno... –Joaquín Vidal tiene que sujetarse a la mesa para que las carcajadas no le derriben de la silla.

A los señores Gris también les hace mucha gracia la anécdota, pero les cuesta más reírse. Fruncen la boca y parpadean confusos.

–Oy, oy, oy –dice ella, que se llama Dolores.

Y él, que se llama Antonio, comenta:

–Bueno, bueno, bueno...

Y ella:

–Desde luego...

Y él se muestra de acuerdo:

–Desde luego, desde luego.

Muy tímidos los dos. En realidad, les horroriza pensar que algún día inesperado alguien pueda gastarles a ellos una broma de semejante calibre. Pero les gusta cómo cuenta las cosas su amigo Joaquín, un tipo estupendo que conoce a todo el mundo, habla varios idiomas y tiene una influencia notable en diferentes ambientes de la ciudad. Les gusta ser amigos suyos. Les deslumbran la espontaneidad y la naturalidad de ese matrimonio que parece circular por la vida a sus anchas, con firmeza y sin titubeos.

Berta, la dueña de la casa, se levanta y empieza a recoger platos, cubiertos y vasos. Hace un gesto de dolor que atrae la atención de Antonio Gris.

–¿Qué tienes?

–No, nada –ella le quita importancia–. Se me pasa enseguida, pero cuando estoy sentada un rato y me pongo en pie, no puedo evitar que me duelan las piernas. Me falta potasio, sodio, calcio...

–Lo que te hace falta son unos buenos zapatos anatómicos Zapanat –asegura Antonio Gris, que es propietario de una zapatería en el centro de la ciudad y está convencido de que la elección errónea del calzado provoca todos los males del cuerpo, desde la migraña hasta la hernia discal–. Ya sabes que en mi zapatería estamos especializados en el famosísimo calzado anatómico Zapanat. Tú vienes allí y te hacemos un estudio completo del pie, prácticamente como si te hiciéramos unos zapatos a la medida de tus pies.

–Antonio –le regaña su esposa, Dolores, que también se ha puesto en pie y va colocando la vajilla y la cubertería en una bandeja–. Berta es doctora. Ella sabrá lo que tiene en los pies y cómo curarse.

–No, no –protesta Berta amablemente–. Seguramente tiene razón. Los médicos solemos cuidar muy mal de nuestra salud.

Joaquín ha hecho gesto de levantarse para echar una mano, pero su esposa se lo impide con un gesto («No, no os mováis, ya vamos nosotras») y una mirada intencionada que significa: «Entretén a Antonio y déjame a solas con Dolores, que tengo que hablar con ella».

–Oye, hablando de salud... –añade entonces Antonio, frunciendo el ceño en un gesto muy suyo–. Si te duele el brazo izquierdo, ¿qué significa?

Berta deposita la bandeja en el carro auxiliar. No le da mucha importancia a la pregunta porque sabe que su amigo siempre está convencido de que sufre enfermedades gravísimas.

–Pues depende del tipo de dolor y de la hora del día. Si es a primera hora de la mañana, puede ser que hayas dormido en mala postura...

–No, no. Es de vez en cuando, a cualquier hora del día...

–... O puede ser consecuencia de la hipoglucemia, o una contractura a nivel cervical...

–¿No puede ser un aviso de infarto? –sugiere el dueño de la zapatería, como si le hiciera ilusión.

–¡No, hombre, no!

–Yo he oído decir que los infartos empiezan con un dolor en el brazo izquierdo...

–Es que pueden ser mil cosas –se impacienta la doctora–. ¿Qué clase de dolor?

–No, no, de ninguna clase –se inhibe el paciente ante el ataque frontal–. Solo es una hipótesis. Solo preguntaba.

–No le des más vueltas, Antonio, que siempre te estás obsesionando con tonterías.

Berta empuja el carro auxiliar y, acompañada por Dolores, entra en la casa, cruzan el gran salón decorado con máscaras y esculturas primitivas traídas de todos los rincones del planeta, y llegan a la gran cocina.

En cuanto los dos hombres se han quedado solos, Joaquín ha iniciado un nuevo tema de conversación para distraer a Antonio de sus manías:

–¿Ya tenéis pensado dónde vais a ir este verano?

–No, todavía no –dice el amigo, dubitativo–. Bueno, habíamos pensado... Como vosotros hablasteis de un crucero por el Mediterráneo...

–Sí, uno muy completo en uno de esos barcos de lujo. Nápoles, Atenas, Estambul, Alejandría, Túnez... ¿Os apuntaríais?

–Pues a lo mejor sí...

–Un crucero romántico. Sería estupendo.

–Un crucero romántico, sí. Bueno, primero tengo que hablarlo con Dolores, que es quien organiza estas cosas. Ya sabes que yo no... Me temo que podría ser un poco caro para nosotros...

–Ni hablar. Ya hablaré yo con Dolores y haremos unos pocos números para ver qué se puede hacer. Estaría muy bien hacer el crucero todos juntos. Un crucero romántico. Las niñas se lo pasarán de miedo, eso te lo garantizo. En la piscina hay unas animadoras que montan juegos distintos cada día. Los chicos tienen hasta una discoteca infantil. Y mientras otros cuidan de Alicia y Paula, nosotros podemos quedarnos tan tranquilos, disfrutando del sol y del paisaje.

–No sé, no sé –suspira Antonio, atribulado–. Háblalo con Dolores, a ver...

Entretanto, en la cocina, después de encender el fuego y poner a calentar la cafetera que tenía preparada, Berta se dirige a su amiga con aires de conspiradora:

–Bueno, se acerca el cumpleaños de Antonio, ¿no?

–Sí –dice Dolores mientras abre la puerta de la alacena donde ya sabe que se encuentran las tazas de café y la jarrita de la leche. Se mueve como si estuviera en su casa–. Dentro de dos semanas. Cuarenta años ya. Está muy impresionado, muy aprensivo, ya sabes cómo es. Dice que a los cuarenta años empieza la vejez.

–Pero qué exagerado. Si está como un roble. Usa esta bandeja.

–No creas, no creas. Cada día se levanta con un dolor nuevo –Dolores ha sacado cuatro tazas, cuatro platillos, y los deposita sobre la bandeja de diseño atrevido y colores chillones–. Hoy es el brazo, mañana la cabeza, el otro día la espalda... Ya has visto hoy con lo del infarto...

Va a sacar del cubertero las cucharillas de café.

–Tonterías –dice Alicia–. ¿Es que ha tenido alguna alarma, algún desmayo...?

–No, no. Pero ya sabes cómo es. Dice que más vale prevenir que curar y, por él, se pasaría la vida previniendo. Cuando no tiene ningún dolor con que obsesionarse, se obsesiona con la prevención.

–Bueno... –Berta vuelve al tema que le interesa–. Sea como sea, supongo que le prepararemos una fiesta sorpresa, ¿no?

–¿Una fiesta sorpresa? –parece que se escandaliza Dolores, como si la anfitriona acabara de mencionar algo prohibido–. Huy, qué difícil, yo no sabría hacer eso...

–Mujer, Joaquín y yo te ayudaremos. Y también el resto de vuestros amigos: los Castaño, que son muy de broma, los Garmendia, los Bravo...

–Pero es que se dará cuenta...

–No, mujer, no. Lo primero, hay que planear qué le vamos a organizar. A Joaquín ya se le ocurrirá alguna cosa. Tiene que ser bien sonado... Ayúdame con esto.

Dolores va pasando los vasos, platos y cubiertos del carrito auxiliar a la dueña de la casa, que va llenando con ellos el lavavajillas. Se mueven mecánicamente, como obreros en una cadena de montaje.

–A ver si le da un infarto con la sorpresa –dice Dolores, con risita nerviosa. Es una manifestación de su sentido del humor.

–No, mujer, no. Que te digo que Antonio no tiene nada más que manías. Ya hablaré con él. Mandaré que le hagan unos análisis, un reconocimiento general...

Berta cierra la puerta del lavavajillas. No lo programa porque aún queda espacio para el servicio de café.

–Mejor que no le hagas ningún reconocimiento –comenta Dolores tras una breve reflexión y, mientras, saca el tetrabrik de leche de la nevera y llena con él la jarrita que tiene a punto–. Podría ser peor. Se asustaría más aún. Si le dices: «Ven, que te voy a hacer unos análisis, y unos escáner, y unos rayos equis, y un estudio completo...», seguro que lo convences de que está muy grave y se lo estás ocultando. Lo conozco.

Berta no tenía ninguna intención de llegar al extremo del escáner y los rayos equis, pero no dice nada.

–En todo caso, habla con él para tranquilizarlo. Si te dijera algo que te parece alarmante, entonces sí, claro...

–Pero eso no sucederá –la doctora sale al paso de las manías de Dolores, que también las tiene–, porque Antonio está fuerte como un atleta, eso se ve a simple vista.

En ese momento, pita la cafetera avisando de que ya ha cumplido su misión y esparciendo por la cocina su exquisito aroma.

–En todo caso –termina Dolores la conversación–, no le digas nada a Antonio de todo esto.

–Y a ti que no se te escape lo de la fiesta sorpresa.

Berta vierte el contenido de la cafetera en un termo muy decorativo, para que en la mesa se conserve la bebida caliente, y desfilan las dos hacia el jardín, Dolores delante con la bandeja y detrás la dueña de la casa.

Joaquín y Antonio interrumpen su charla para volverse hacia ellas y darles la bienvenida.

Entretanto, en el piso de arriba, las niñas han diseminado por el suelo las piezas de la arquitectura de plástico, pero en realidad no juegan a construir laberintos.

Conspiran.

Están tramando cómo enviar a sus padres unos mensajes a través del correo electrónico sin que se note que son ellas las remitentes.

3

Mientras el curso ya corre irremisiblemente hacia su fin, cada vez más cerca de las esplendorosas vacaciones, Alicia y Paula van perfeccionando su plan para conseguir ser hermanas.

Ahora mismo, en el aula de informática del colegio, están redactando los mensajes con los que han de alcanzar su objetivo. Cartas de amor que propondrán las citas secretas donde se iniciarán los romances trascendentales.

A estas alturas ya no les parece tan difícil que el papá de Paula se enamore de Berta, la mamá de Alicia, porque Berta es muy guapa y muy simpática. Si, paralelamente, Joaquín Vidal y la mamá de Paula se sintieran irremisiblemente atraídos el uno por la otra y la otra por el uno, las dos niñas conspiradoras ya podrían cantar victoria.

Y están seguras de lograrlo, porque Alicia Vidal se las da de experta en temas románticos. Ha aprendido mucho de la señora Paquita, que cuida de ella cuando sus padres tienen que ausentarse. Esta señora Paquita se pasa la vida hablando por el teléfono móvil con su hija casadera y dándole consejos para que encuentre y conserve novio. De ella han aprendido la importancia de la palabra «secreto» («tengo que contarte un secreto», «no te lo puedo decir porque es secreto», «yo no tengo secretos para ti») y de «no llamar nunca a los sentimientos por su nombre».

–Si a un hombre le dices: «Estoy enamorada de ti» –la señora Paquita vocifera su regla de oro–, sale corriendo como alma que lleva el diablo.

Esa afirmación provoca más tarde a Paula y Alicia una risa loca, y se prometen realizar el experimento en cuanto se les presente la primera ocasión. No lo harán con sus padres, claro está, para no levantar sospechas, pero sí con algún conocido, quizá con un profesor o compañero del colegio. Tienen que comprobar si, con las palabras «Estoy enamorada de ti», consiguen que salga corriendo como si lo atacara un perro rabioso.

–Nunca digas «te amo» –aconseja la señora Paquita a gritos, convencida de que Alicia no la oye o, si la oye, no entiende sus palabras–. Pregúntale si te ama. No le hables de tus sentimientos, háblale de tu corazón. No le digas que desconfías de él, dile que desconfías de ti misma.

–Parece un poco lioso –reconoce Alicia–, pero, según la señora Paquita, esta es la manera de hacer que dos personas se enamoren.

–Pero, si no pueden hablar de sentimientos, ¿cómo hacen para decir «lo siento»? –se pregunta Paula.

–Cuando uno está enamorado, nunca dice «lo siento».

–¿Cómo que no? ¿Y si él la pisa a ella mientras están bailando? ¿O si ella le derrama a él la sopa por encima? ¿O si él tira a la basura todos los frascos de colonia de ella porque se creía que estaban vacíos y aún quedaba un poco? ¿Qué dicen? Tienen que decir «lo siento», ¿no?

–No pueden decir «lo siento». Tienen que decir algo parecido. Algo que signifique lo mismo.

–¿Le pongo el culo encima?

–¿Le pongo el culo encima?

–¿Cómo?

–«Le pongo el culo encima» es lo mismo que «lo siento», ¿no?

–¿La pisa mientras bailan y le dice: «Le pongo el culo encima»?

–No suena muy bien, ¿verdad?

–Le diría algo así como: «Lo acomodo».

–¿Lo acomodo?

–O algo así. «Lo acomodo» significa lo mismo que «lo siento».

Y siguiendo estas pautas, con la ayuda del ordenador y del corrector de ortografía, van redactando la supuesta nota que supuestamente el señor Joaquín Vidal escribiría a la madre de Paula.

–«Amada mía» –es lo primero que ha sugerido Paula, que es muy romántica.

–¡No! –se opone Alicia–. No se puede decir nada que empiece con «am», ni «amor», ni «amoroso», ni «amatista». En todo caso, podríamos decir «Corazón mío», pero mi padre nunca diría «Corazón mío». Mi padre siempre se está riendo de las personas que dicen cosas como «Corazón mío» o «Alma mía» o «Cielo mío». Mi abuela me llama «Cielo mío» y mi padre le dice que es más cursi que un cerdo vestido de rosa, y eso que es su madre. Además, tu madre se podría asustar.

–Sí –reflexiona Paula–. Me imagino a mi madre leyendo «Cielo mío» y exclamando: «¿Qué se ha creído?».

Mi madre suele decir con frecuencia: «¿Qué se ha creído?». Y no quiere saber nada de las personas que se creen no sé qué. Pero entonces, ¿cómo lo hacemos?

–Tenemos que ir con mucho cuidado, que los mayores son muy raros. Yo empezaría, por ejemplo, diciendo: «Necesito hablar con usted».

–Sí, sí. «Necesito hablar con usted en secreto».

–¿«En secreto»?

–Claro: la señora Paquita dice que la palabra «secreto» es muy importante y atractiva. Y pone misterio. Además, si no fuera un secreto, podría decírselo cualquier domingo, o a la puerta del colegio. «En secreto muy misterioso», pondría yo.

–No, no. «Un secreto que ya se puede imaginar», para que tu madre se haga ilusiones.

–No, no. «Imagínese».

–¿«Necesito hablar con usted en secreto, imagínese»? No, parece que quiere decir «qué barbaridad». «Necesito hablar con usted en secreto, imagínese qué barbaridad, qué cosa tan rara, quién lo iba a decir, seguro que nunca se hubiera imaginado que yo quisiera hablar con usted en secreto».

–¿Pues cómo?

–«¿Se imagina de qué?».

–«¿Se imagina de qué?».

–«¿Se imagina de qué necesito hablar en secreto?». Pero como «Necesito hablar en secreto» ya lo hemos dicho antes, solo decimos: «¿Se imagina de qué?», y ella ya lo entenderá.

–«Necesito hablar con usted en secreto. ¿Se imagina de qué?» –degusta Paula el texto como si fuera un cara-

24

melo de sabor nuevo y exótico–. Sí, suena bien. Y ahora la cita.

–No. Antes: «No le diga nada a su esposo». Porque si se lo dice...

–Claro. Ponlo. Y pon también: «No me diga nada a mí».

–¿Cómo?

–Claro, porque si tu madre se encuentra con mi padre a la puerta del colegio y le dice: «¿Cuál es ese secreto que me quiere decir?», todo se puede estropear.

–Es verdad, pero... «No me diga nada a mí», suena raro. En todo caso, «No se lo diga a nadie».

–Pero «nadie, nadie». Que quede claro que «nadie» quiere decir «nadie», incluido mi padre.

–Vale. Y ahora la cita.

Han elegido un bar alejado del centro y de los domicilios y lugares de trabajo de sus padres, para evitar que puedan ser sorprendidos por sus cónyuges. Y una hora en que saben que Joaquín suele haber salido ya de su empresa y Antonio no ha llegado todavía a casa, de manera que Dolores tendrá libertad de movimientos.

Queda establecido que el mensaje dirá así: *Nesecito ablar con usted en segreto. ¿Se imajina de que? No le diga nada a nadie pero nadie nadie nadie lo que se dice nadie. Encontré monos en el var Frasio de la calle del Charco el gueves a las sehis y media de la tarde.* Y pasado por el corrector ortográfico queda finalmente en *Necesito hablar con usted en secreto. ¿Se imagina de qué? No le diga nada a nadie pero nadie nadie nadie lo que se dice nadie. Encontré monos en el bar Frasio de la calle del Charco el jueves a las dos en punto.*

–¿Estás segura de que bar se escribe con be?

Hacía tiempo que no hacían nada tan divertido. Ya se imaginan a la madre de Alicia soñando que, en su correo electrónico, se le acaba de aparecer un príncipe azul.

Cuando tienen que redactar la supuesta nota que Antonio Gris supuestamente escribiría a Berta, es Paula quien lleva la voz cantante.

–Yo conozco a mi padre –asevera adoptando el tono engolado de su abuela– y sé cómo lo haría.

Mantienen la primera frase del mensaje anterior («Necesito hablar con usted en secreto»), pero Paula defiende que su padre no se andaría con misterios ni preguntas enigmáticas, sería más directo. A su padre le daría igual lo que la canguro de Alicia aconsejaba a su hija y hablaría claro.

–¿Ah, sí? –la desafiaba Alicia, dispuesta a defender el buen sentido de doña Paquita–. ¿Tu padre diría «La amo» o «Estoy enamorado de usted» en la primera carta? Tu madre saldría corriendo como si hubiera visto a un demonio.

–Pues mi padre lo diría. «Hablar claro» es su lema. Siempre lo dice.

–Porque a tu padre le cuesta un poco hablar. Si además de hablar poco no hablara claro, sería un desastre.

–Pues por eso lo diría.

–«Necesito hablar con usted en secreto. La amo». Suena un poco fuerte. Y, además, ya se lo ha dicho todo. ¿Para qué se van a encontrar si ya le ha dicho que la ama? Se encontrarían y no tendrían nada que decirse.

Paula claudica:

–Bueno, pues que no hable de amor. Que hable del corazón. ¿Cómo es el verbo que viene de «corazón»? ¿Corazonar? «La corazono».

–Suena fatal. ¿Por qué no «Me duele el corazón»?

–Sí, mi padre es muy quejica y eso lo diría. Siempre está diciendo que le duele algo. «Me duele el corazón», sí, me gusta.

Quiero hablar con usted en secreto. Me duele el corazón. Sufro mucho. No se lo diga a nadie nadie nadie ni a mi esposa menos. Encontré monos en el restaurante Mikado el jueves a las seis y media de la tarde.

Decididamente, era el juego más divertido a que habían jugado desde hacía mucho tiempo. Mucho más que construir laberintos, dónde va a parar.

4

Llevan a cabo su Plan Perfecto (ya lo llaman así, «Plan Perfecto», como quien dice «Misión Imposible») el primer día de vacaciones.

Mientras Antonio ya se ha ido a la zapatería y Dolores se encuentra haciendo algo por la casa, Paula, frente al ordenador, llama a su amiga:

–¿Estás?

–Estoy.

Alicia también está ante el ordenador de su casa. Y su madre todavía no se ha ido al consultorio. Es el instante preciso.

Paula copia el mensaje en el correo electrónico y lo envía a casa de Alicia.

Clic.

Ya está.

Alicia grita a su madre:

–¡Mamá! ¡Ha entrado un e-mail para ti!

Berta, la madre de Alicia, ya se ha puesto la chaqueta y se ha colgado del brazo el casco de la moto. Viene apresurada al despacho, comprueba que el mensaje viene de casa de los Gris y clica sobre él para leerlo.

Quiero hablar con usted en secreto. Me duele el corazón. Sufro mucho. No se lo diga a nadie nadie nadie ni a mi esposa menos. Encontré monos en el restaurante Mikado el jueves a las seis y media de la tarde. Antonio.

La madre de Alicia se queda un poco desconcertada. ¿Antonio la trata de usted? «Mira que es raro ese hombre –frunce el ceño por un instante y, de inmediato, arquea las cejas y sonríe–. Seguramente de esa manera el hipocondríaco pretende dar solemnidad a la nota para que lo traten en serio. Pobre Antonio, siempre preocupado por sus enfermedades imaginarias. Claro que también podría ser que esté experimentando algún síntoma alarmante. Estas cosas no se pueden tomar a la ligera».

Berta se sienta ante el ordenador, pulsa la tecla «Responder» y redacta el mensaje:

Querido Antonio: te tengo dicho que no me parece que tengas ningún síntoma de cardiopatía, pero estoy dispuesta a efectuarte un reconocimiento. Nos veremos en el Mikado y entonces hablamos. Si hace falta, te extenderé una receta para hacerte un análisis. Ya verás como no es nada.

Pulsa «Enviar», le da un beso distraído a su hija y sale corriendo, como siempre, para acudir a su trabajo.

Cuando Paula recibe el mensaje en su casa, se pone a saltar y a hacer cabriolas de alegría. Romántica como es, enseguida entiende que la madre de Alicia se siente irresistiblemente atraída por su padre. «Querido Antonio», empieza. «¡Querido!». Eso es estupendo. Luego viene aquello del «síntoma de cardiopatía» y ya no hace falta seguir leyendo porque es el lenguaje complicado de los mayores, probablemente palabras de amor, porque al final acepta encontrarse con él en el restaurante Mikado y luego lo invita a ir a su consulta.

–Uau –murmura Paula–. Uau, uau, uau.

Telefonea a Alicia para decirle que las cosas no pueden ir mejor.

Y Alicia continúa con la operación. Copia el mensaje que tiene preparado y lo envía a la dirección de correo electrónico de la zapatería del padre de Paula.

Clic. *Mensaje enviado.* Ya está.

Antonio Gris está precisamente ante el ordenador, resolviendo un problema de facturas equivocadas, cuando un discreto y armónico sonido le avisa de que tiene un e-mail. Lee:

Necesito hablar con usted en secreto. Quiero que sepa que sufro mucho por usted. No le diga nada a nadie, a nadie, a nadie. ¿Por qué no nos encontramos en el restaurante Mikado el jueves a las seis y media? Alicia.

Primero se pregunta por qué Alicia le trata de usted y, luego, le dice que sufre por él. Se dice que a los médicos no hay quien los entienda, ya sea porque hacen mala letra o ya sea porque se expresan mal. Con su sentido del humor, que mantiene muy oculto y solo comparte con su esposa Dolores, se dice que los médicos son unos incomprendidos, y las doctoras, unas incomprendidas. Qué manera tan rara de decir que le duelen los pies y que necesita el consejo de un experto en calzado. Berta por fin ha aceptado que necesita urgentemente el auxilio de los zapatos Zapanat. Antonio se siente orgulloso de su capacidad de convicción, aunque sea a largo plazo. No se los va a vender: se los regalará. Después de usarlos una vez, Berta descubrirá que no puede vivir sin ellos. Probarlos es adoptarlos. Y responde:

Ok. Mikado, jueves, 6:30. No se lo diremos a nadie.

Coronada con éxito la fase uno del Plan Perfecto, las niñas pasan a la fase dos mucho más animadas al ver que las cosas van saliendo como esperaban.

La señora Gris divide su tiempo entre las tareas de ama de casa y las traducciones y ediciones *freelance* que realiza en el despachito del ordenador. Este día, cuando regresa de hacer la compra en el súper, Paula le notifica que ha recibido un mensaje electrónico.

–Mamá, tienes un e-mail.

Dolores se acerca al ordenador y, sin ocupar la butaca, de pie e inclinándose hacia la pantalla, comprueba que es un comunicado de su amigo Joaquín Vidal. Lo abre y lee:

Necesito hablar con usted en secreto. ¿Se imagina de qué? No le diga nada a nadie pero nadie nadie nadie lo que se dice nadie. Encontré monos en el bar Frasio de la calle del Charco el jueves a las dos en punto.

¿Hablar en secreto? ¿Se imagina de qué? ¿No le diga nada a nadie pero nadie nadie nadie lo que se dice nadie? Este Joaquín y su sentido del humor. Evidentemente, debe de querer preparar la fiesta sorpresa para el cumpleaños de Antonio. Dolores sonríe y suspira aliviada. Nunca se habría visto capaz de organizar una conspiración de aquel tipo ella sola. Lo más divertido que a ella se le ocurre es un guateque con farolillos de papel y, como mucho, el baile de la escoba. Pero esa no es la fiesta sorpresa que Antonio se merece, claro. Antonio se merece algo... algo que Dolores no puede ni imaginar. Joaquín, en cambio, es creativo y atrevido, y tiene contactos y medios a través de la agencia de viajes para darle a Antonio una sorpresa mayúscula. Muy ilusionada, responde:

Muy bien. Yo también traeré mis ideas. Nos vemos el jueves a las dos en punto en el bar Frasio. Y añade, según su concepto de las travesuras y del sentido del humor: *¡Farolillos de papel y el baile de la escoba!* (Añadido que a ella le causa una risa loca).

Lo envía.

Instantes después, el mensaje aparece en el ordenador de casa de los Vidal. Alicia lo borra sin leerlo.

Al mismo tiempo, Paula, mientras su madre está vaciando el carrito de la compra en la cocina, envía a la agencia de viajes donde trabaja el padre de su amiga otro mail preparado de antemano.

Joaquín Vidal está en su despacho, manteniendo una pesada conversación con dos representantes de la Oficina de Turismo de Albania, que quieren abrir sus fronteras a los visitantes españoles. Entre él y los dos albaneses está el escritorio, y a un lado, la pantalla del ordenador. De reojo, Joaquín ve aparecer en ella el aviso de un mensaje entrante. Sin perder la sonrisa ni apartar la atención de los dos señores que le hablan en inglés, pulsa las teclas necesarias para leer:

Necesito hablar con usted por temas románticos. No le diga nada a nadie, a nadie, a nadie. ¿Por qué no nos vemos en el bar Frasio de la calle del Charco el jueves a las dos en punto? Dolores.

El padre de Alicia procura permanecer impertérrito. «¿Por temas románticos?». Piensa que su amiga Dolores tiene una forma bien rara de expresarse. ¿A qué se puede referir? Aturdido por la verborrea en inglés de los albaneses, y disponiendo tan solo de la mitad de cerebro, se demora unos segundos en descifrar el mensaje en clave, pero enseguida concluye que aquellas palabras solo pueden tener un significado. Dolores le está hablando del crucero romántico por el Mediterráneo, o sea, de las vacaciones que están a punto de emprender. Pero, al mismo tiempo, ese «No le diga nada a nadie, a nadie, a nadie», da a entender que no quiere que Antonio se entere de esta conversación, y eso le hace pensar que Dolores relaciona directamente el crucero romántico y la fiesta sorpresa de cumpleaños de su marido. De inmediato le parece una idea excelente.

Una vez que ha despedido amablemente a los albaneses, se queda pensativo y llega a la conclusión de que Dolores ha tenido una idea genial. ¿Por qué no regalarle a Antonio el día de su cumpleaños el crucero romántico por sorpresa? Se imagina una fiesta anodina en el jardín de su casa, con farolillos de papel y unos cuantos amigos, una fiesta normal y corriente. Y de pronto aparece un helicóptero que baja en el jardín y se lleva a Antonio Gris como un platillo volante que lo abdujera a otra dimensión. Y Antonio Gris todavía no ha salido de su asombro cuando aterrizan en la cubierta de un supercrucero de lujo entre los aplausos de toda la tripulación. ¿Podría conseguir algo así?

Enseguida se abalanza sobre el ordenador y decide estudiar qué cruceros de lujo zarpan precisamente el día del cumpleaños de Antonio Gris. Busca en Google y encuentra una empresa de viajes sorpresa llamada Sopetón, que es ideal para solucionar su problema.

Copia el *link* y lo pega en un mensaje para Dolores junto al mensaje:

OK. Idea genial. Jueves, 2:00. Frasio. Busca «Sopetón» en internet. La palabra clave es helicóptero.

Paula lo recibe en su correo electrónico y lo borra sin leerlo. Telefonea a su amiga Alicia para decirle: «Misión cumplida», y, cada una en su casa, emiten gritos y saltos de alegría y de triunfo, como si acabaran de cruzar la meta de una meritoria carrera olímpica.

Dolores se asoma a la puerta de la cocina:

–¿Qué pasa, Paula?

Su hija contiene la risa y responde:

–Nada, mamá. Nada.

5

En el mapa de la ciudad, todas las vías parecen iguales, tan pulcras y tan limpias, con sus líneas trazadas con regla, sus numeritos y el nombre de la calle bien visible y sin faltas de ortografía. Luego, cuando vas allí, te encuentras con que hay de todo. Bulevares anchos y espectaculares con su arbolado y sus tiendas de moda, calles más modestas y populares, o bien callejones espantosos como la llamada calle del Charco.

Paula y Alicia eligieron el bar Frasio de la calle del Charco a dedo, sobre el mapa, basándose únicamente en el hecho de que estaba cerca del mar, eso les pareció muy romántico, y equidistante de la casa donde viven los Gris y la oficina donde trabaja el padre de Alicia.

Cuando Dolores, la madre de Paula, llega frente al bar restaurante Frasio, comidas caseras, experimenta un violento escalofrío y está a punto de dar media vuelta y echar a correr como si fuera un hombre y una chica acabara de decirle que está enamorada de él.

Porque la calle del Charco, haciendo honor a su nombre, no está asfaltada y se ve tan húmeda, barrosa y sembrada de basura y de charcos como si fuera sumergida cada día durante la marea alta. Además, tres de los establecimientos que la flanquean son talleres de mecánica donde, más que a reparar coches estropeados, parece que se dedican a desguazar vehículos robados para venderlos por piezas a los talleres honrados del resto de la ciudad, y eso da como resultado que el agua del lodazal sea negra, grasienta y nauseabunda.

El restaurante bar Frasio es una chabola torcida con una puerta de madera mal encajada en su marco, provista de cristales sucios que casi no permiten ver el interior. Cuando Dolores mira a través de esos cristales, piensa que debería llamar a la policía inmediatamente. Si se abstiene de hacerlo es porque piensa que este es el decorado elegido por Joaquín Vidal, y Joaquín Vidal nunca se equivoca. Dolores admira mucho a Joaquín Vidal y tiene fe ciega en él. «Seguro que aquí dentro se come divinamente». Suele haber en todas las ciudades locales de aspecto modesto donde se preparan comidas caseras de excelente calidad.

Dolores hace de tripas corazón y decide esperar.

De pronto llega el coche de Joaquín Vidal y se detiene en el extremo de la calle. Es un vehículo moderno, de última generación, con todos los adelantos imaginables, pero a ella ahora le parece el blanco corcel de un caballero andante y salvador.

Y Joaquín Vidal se apea y se acerca andando y esquivando los charcos, como un caballero andante, y a Dolores se le ocurre preguntarse por qué a los caballeros andantes se les llama caballeros andantes si van a caballo. Pero antes de poder dar con la respuesta, su amigo ya ha llegado a su lado y admira el restaurante de Frasio con ojos desorbitados.

Se empeña en sonreír para complacer a Dolores porque supone que ha sido ella quien ha elegido ese antro para su cita. Supone que aquí deben de cocinar muy bien porque Dolores es una buena cocinera y adora la gastronomía.

Mientras venía, ha estado pensando que quizá se está pasando con su plan del helicóptero organizado por la empresa Sopetón. Le extraña que Dolores, después de entrar en internet, no le haya telefoneado o escrito para decirle qué le parece la idea. A lo mejor no le gusta que sus amigos le regalen a Antonio un crucero romántico ni la exhibición aparatosa del helicóptero; quizá le parece algo demasiado caro. Los Gris son personas sencillas y prudentes y pueden considerar excesiva una fiesta como la que propone Joaquín.

De manera que ha decidido dejarle hablar a ella, a ver qué opina.

La encuentra a la puerta del bar, indecisa, con esa sonrisa tímida y encantadora que la caracteriza.

–Hola, Dolores, ¿qué tal?

Se dan los dos besitos de rigor, muac, muac. Dolores mira la puerta del bar con expresión aterrorizada, pero como Joaquín parece decidido a entrar en él, lo sigue con determinación heroica.

El interior es tan poco acogedor como la fachada. La clientela está exclusivamente compuesta por gente desaseada y de malos modales, que habla con la boca llena y devora ayudándose con las manos. La mayoría deben de ser mecánicos de los talleres de la calle y tienen los dedos ennegrecidos por la grasa de los automóviles y brillantes por la grasa del cerdo que comen, y la negrura de los dedos pasa al cerdo y la grasa del cerdo pasa a sus ropas sin que a aquellos hombres les parezca mal. Ni bien ni mal. Por la cara que ponen, no parece que nada les parezca nada.

La atmósfera parece saturada de eructos y gases de todo tipo y la suela de los zapatos tiene cierta dificultad para desengancharse del suelo a cada paso. La mesa, cuando consiguen acomodarse en una, ha sido limpiada con algún producto desinfectante que hace que se les salten las lágrimas.

Para romper el hielo, haciendo siempre gala de desenvoltura, Joaquín va charlando animadamente, como si el entorno fuera incapaz de afectarle. Su actitud relajada es halagadora, porque hace pensar a Dolores que solo tiene ojos y atención para ella.

–¿Sabes cuál es la última que ha hecho Bernardo, mi empleado el bromista? –va diciendo–. En el ascensor ha colgado un letrero que pone: «Ascensor automático. No pulse ningún botón. Funciona solo». La gente subía al ascensor y se quedaba quieta, esperando que el aparato reaccionara. ¡Tendrías que haber visto cómo se miraban entre sí y cómo miraban los botones, aguardando que empezaran a pulsarse solos! ¡Qué risa! –se ríen y la alegría hace que toleren mucho mejor aquel ambiente–. Bueno, eh... ¿Y este bar? Qué curioso, ¿no?

–Sí, bueno –acepta Dolores. Busca un adjetivo que no ofenda a su amigo–: Pintoresco.

–¿Qué me recomiendas?

–Yo casi te recomendaría que nos fuéramos de aquí –dice Dolores, con una mueca que subraya que está hablando en broma.

Joaquín se ríe. Tiene que estar hablando en broma, claro. El restaurante lo ha elegido ella.

–Ja ja ja. Bueno, dejaré que me aconseje el camarero.

El camarero es un individuo panzudo y mal afeitado, que parece salido de una película de terror donde hubiera asesinado a sus hermanos para hacer albóndigas con ellos. Lleva una camisa que alguna vez fue blanca y debió de pertenecer a su padre carbonero, que nunca la lavó, y en una mano lleva un bolígrafo y en la otra un cuaderno para hacer creer al personal algo tan absurdo como que sabe leer y escribir.

–¿Qué nos recomienda? –le pregunta Joaquín valientemente.

–¿Mande?

El padre de Alicia entiende que acaba de hacerle una pregunta demasiado complicada y, seguramente, hablando muy de prisa, de manera que repite el concepto silabeando con lentitud.

–Aquí –dice el hombre siniestro–, lo que más come la gente es la verdura hervida con patatas y el bistec con patatas.

–Ah, patatas –exclama él encantado–. La especialidad de la casa.

–¿Mande?

El camarero pestañea muy fuerte como si, en lugar de la tarea de limpiaparabrisas, sus párpados se negasen a ver, de vez en cuando, la terrible realidad que le rodea.

–¿Mande?

–No, nada. ¿Qué vas a tomar? –le pregunta Joaquín a Dolores.

Ella ha leído las especialidades de la casa en una pizarra.

–La ensalada del tiempo y la tortilla de ajos tiernos.

–Yo –decide Joaquín– haré caso del *maître* y tomaré las verduras con patatas y el bistec con patatas. Y para beber, a tono con el local, vino y gaseosa.

Dolores no para de reír.

–Bueno –dice él en cuanto se va el camarero–, ¿y qué te pareció mi idea?

–¿Tu idea? –frunce el ceño Dolores sin perder la sonrisa, tratando de recordar si Joaquín le había propuesto alguna idea.

–A mí la tuya me pareció excelente –afirma el padre de Alicia.

–¿La mía?

–Sí. La palabra clave fue «romántico».

Dolores se siente un poco desconcertada. ¿Romántico? No, sus palabras clave habían sido otras. Y rectifica con sonrisa angelical:

–Farolillos y el baile de la escoba.

Joaquín parpadea lentamente y piensa: «Qué manera de hablar tan rara, supongo que es lenguaje figurado».

–No, no, en serio –dice–. Me gustó tu sugerencia cuando dijiste: «hablar de temas románticos».

–¿Románticos? Bueno, es una manera de verlo. Los farolillos de papel y el baile de la escoba se pueden considerar románticos, claro.

El camarero se presenta con dos platos llenos de cosas sorprendentes. Ante Joaquín deposita una pasta amorfa verdiblanca tan humeante que parece disolverse a ojos vistas. Dolores se ve enfrentada a un amasijo de hojarasca maltratada por el otoño.

Joaquín exclama:

–¡Oh!

Dolores exclama:

–¡Aj!

El camarero les contesta:

–¿Mande?

Y los deja solos con la pitanza.

Joaquín suspira y dedica unos instantes de su vida a valorar lo que tiene delante. Piensa: «Qué manía con los farolillos de papel y el baile de la escoba. ¿Qué querrá decir con eso? En todo caso, no hace ninguna mención a lo del helicóptero ni a la empresa Sopetón».

–Entonces –se atreve a preguntar al fin, yendo al grano–, ¿no te gustó lo del helicóptero?

–¿Lo de qué?

–El helicóptero de Sopetón.

–¿Así, de sopetón, si me gusta el helicóptero? No lo sé. Casi me gusta más el avión.

Joaquín se ríe, un poco nervioso.

–Ja, ja, ja. Pero un avión... ¡Un avión no puede aterrizar en mi jardín!

Dolores también se ríe, aunque no sabe muy bien por qué.

–Ja, ja, ja. Claro que no puede. Pero bueno, ahora hablemos en serio. Mi idea fue farolillos de papel y el baile de la escoba. Seguro que tú tienes una idea mejor.

–No –dice Joaquín, que ha aplastado las patatas hervidas hasta conseguir una amalgama informe y verdosa que se podría denominar puré, y se la está comiendo con el admirable estoicismo de los valientes y leales legionarios–. Tu idea fue unir la fiesta sorpresa de Antonio con el crucero romántico de este verano. Tus palabras clave fueron «romántico» y «no se lo digas a mi marido» –Dolores frunce el ceño–. Y mi palabra clave fue «helicóptero».

–¿Helicóptero?

–Sí. Helicóptero.

–Supongo que te refieres al helicóptero de repente.

–No. Al helicóptero de Sopetón.

–Bueno, de sopetón, de repente, de pronto, es lo mismo.

–No. Estoy hablando del helicóptero de Sopetón.

–Yo no sé qué es un helicóptero de sopetón –confiesa ella.

–¿No entraste en Sopetón?

–¿Cómo? ¿De sopetón qué?

–En la página web de Sopetón.

–¿En una página web de sopetón? No recuerdo ninguna página web... –dice Dolores mientras corta y poda su ensalada como un jardinero que luchara contra plantas carnívoras que estuvieran invadiendo su vergel.

Joaquín cree que empieza a entenderlo todo.

–A lo mejor me olvidé de adjuntártela.

–En tu e-mail no había ningún adjunto.

–Entonces, no entenderías lo del helicóptero.

–¿Pero qué helicóptero? ¡Tú no decías nada de ningún helicóptero!

–Sí hablaba de un helicóptero...

–No hablabas de ningún helicóptero...

–Sí hablaba de un helicóptero, y si hubieras podido entrar en la página web de Sopetón...

–No hablabas de ningún helicóptero...

–... Habrías sabido que podemos montar la fiesta de cumpleaños de Antonio en el jardín de mi casa...

–... Con farolillos de papel...

–... Y baile de la escoba, sí. Pero tú no podrás asistir.

–¿Ah, no?

–No, un trabajo tremendo te impedirá estar al lado de tu querido marido el día de su cumpleaños...

El camarero los interrumpe con los segundos platos. Para Joaquín, algo que parece una suela de zapato agujereada y que resulta ser un bistec mutante con patatas de chicle, y para Dolores, un moco amarillo y verde que alguien ha definido como tortilla de ajos tiernos. Cada vez que parpadea fuertemente, el camarero parece estar haciendo señas a alguien que le estuviera espiando escondido. Cuando cree que ha quedado claro su mensaje, huye a la cocina como si temiera que sus clientes pudieran agredirlo con los cuchillos y tenedores.

Joaquín recupera el relato de la gran fiesta:

–... Él, Antonio, muy triste por tu ausencia, vendrá a celebrar el aniversario a nuestra casa, qué remedio, sin ti. Y en mitad de la fiesta, inesperadamente, aparecerá un helicóptero en el cielo, se nos vendrá encima y se posará en nuestro jardín. Y del helicóptero bajarás tú con el mejor de tus vestidos, despampanante, preciosa. ¡Sorpresa! Y nosotros sacaremos el equipaje que tendremos preparado y empujaremos a Antonio hacia el helicóptero y nos elevaremos con él. Y antes de que haya conseguido salir de su estupor, descenderemos y nos posaremos en la cubierta del mejor crucero romántico del Mediterráneo. ¿Qué tal?

Muy orgulloso de su plan, Joaquín ataca el bistec como los ladrones atacan las cajas de caudales y consigue fingir que se lo traga con placer y que lo considera una joya de la *nouvelle cuisine*.

–Maravilloso –silabea ella, admirada, con mucho cuidado para dejarlo bien claro. No obstante, mientras Joaquín ha estado hablando y ella hacía esfuerzos por reconciliarse con la tortilla de ajos tiernos a base de pasearla de un lado a otro del plato, ha ido sacando conclusiones, y trata de resumirlas con estas palabras–: Pero en tu correo electrónico no decías nada de esto. Solo me decías «encontré monos», así, separado, como si hubieras encontrado monos...

Su interlocutor se lleva una sorpresa que le enarca las cejas.

–No. Tú decías «encontré monos». El chiste es tuyo.

–¡No...! –replica Dolores con un agudo que significa «¡qué disparate!».

Callan los dos. Ahora Joaquín se da cuenta de que Dolores nunca hubiera hecho un chiste como el de «encontré monos». Varía la expresión de su rostro como si el bistec mutante empezara a crecer y hacerle cosquillas en sus entrañas.

–Tú escribiste primero –dice mirando fijamente los ojos de Dolores.

–No –responde Dolores, cautelosa, empezando a entender, como él, que allí pasa algo muy raro–. Tú me escribiste primero. ¿Y por qué me llamabas de usted?

–¿Y por qué me llamabas tú de usted? Un momento –la luz resulta cada vez más deslumbrante–. ¿Tú has elegido este bar por algún motivo?

–¿Yo? ¡No!

–¿Habías venido aquí alguna vez?

–¿Yo? ¡No! Si lo has elegido tú. Yo nunca había venido a este restaurante y, probablemente, no volveré jamás.

Acabáramos.

Joaquín estalla en una carcajada que atrae las miradas de todos los comensales y del camarero y de algún ser abominable que se esconde en la cocina, y concluye:

–¡Es una broma! ¡Nos han gastado una broma! –y cuando se habla de bromas, un único nombre viene a su mente–: ¡Bernardo! Ese sinvergüenza se ha atrevido a gastarme un bromazo. ¡Será berzotas!

Dolores también se ríe. Está totalmente de acuerdo con Joaquín. Tal vez ella no habría utilizado la palabra «berzotas», pero sí, está de acuerdo en que ese empleado llamado Bernardo es algo parecido a un berzotas.

Y ja, ja, ja.

6

Berta acude con desgana a su cita con Antonio Gris. No es que le desagrade hablar un rato con su amigo, sino que está segura de que él querrá venderle (o, aún peor, regalarle) aquellos zapatos Zapanat, con la idea de curarle todos los males. Berta, que es doctora en medicina, sabe que los zapatos Zapanat no van a curar sus problemas de circulación y, además, le parecen horrendos; una especie de artilugios ortopédicos de diseño espeluznante que no combinarían con ninguna prenda de su vestuario. De manera que, mientras se dirige al famoso Mikado del centro, va preparando una excusa para no quedarse con los abominables Zapanat.

«Le diré que ya no me duelen los pies, y que ya me los probé una vez y no me quitaron el dolor, y que, en realidad, para mi dolor de piernas el único remedio es ir descalza. Pero no le puedo decir todo eso a la vez, claro. O una cosa o la otra. Y diga lo que diga, él insistirá e insistirá, porque es un vendedor insistente y vocacional como hay pocos. ¿Qué hacer? ¿Qué decir?».

De buena gana, Berta daría media vuelta y, camino de su casa, telefonearía a su amigo Antonio para decirle que no puede verse con él, que un asunto muy urgente la retiene en la consulta, una cuestión de vida o muerte. Pero continúa caminando porque sabe que él está muy angustiado por su posible afección cardíaca, y su deber como médico es tranquilizarlo de una vez. «Me duele el corazón», decía su mensaje. «Sufro mucho. No se lo diga a nadie nadie nadie ni a mi esposa menos». En esa frase, Berta ve escondido un terrible sufrimiento que se cree en la obligación de atenuar. Sobre todo, ahora que se acerca el cumpleaños de Antonio y le van a preparar una magnífica fiesta sorpresa.

A Antonio Gris tampoco le hace mucha gracia ir al encuentro de Berta. Su preocupación por la salud es muy voluble y la angustia ante la posibilidad de sufrir una afección cardíaca ya ha quedado atrás. Ahora se está preocupando por un zumbido que aparece en su cerebro cuando cierra los ojos para dormir, algo que él relaciona con la sirena de alarma con la que se anuncia un tumor cerebral en lontananza. Pero de esta nueva manía ya no piensa hablar con Berta porque le da vergüenza. Es consciente de que siempre anda quejándose de esto y de aquello y ya ha notado las caras de escepticismo que su amiga la doctora pone cada vez que le habla de una nueva aprensión, como diciendo: «Ya está otra vez este pazguato con sus tonterías».

La última vez, después de aquella barbacoa en casa de los Vidal, Dolores se lo hizo notar y le dijo: «No vuelvas a hablarle a Berta de tus molestias porque se va a reír de ti». De manera que él se limita a traerle a su amiga unos cómodos zapatos Zapanat para curarle el mal de piernas y no piensa hacer la menor referencia a su propia salud. No mencionará para nada el zumbido que siente entre las orejas.

Los dos se divisan desde lejos en el bulevar, se sonríen amistosamente, aceleran el paso y se detienen ante el famoso restaurante japonés Mikado para darse los dos besitos de rigor.

–Hola, Berta, ¿qué tal estás?

A Antonio no le ha parecido que su amiga viniera cojeando sensiblemente.

–Bien, ¿y tú?

Berta se ha fijado perfectamente en la caja de zapatos que él lleva en una bolsa de plástico.

–Estupendamente. Hoy no me duele nada. Nada de nada.

–A mí tampoco me duele nada. Ni las piernas ni nada de nada.

Dirigen su atención hacia el restaurante japonés Mikado para descubrir que está cerrado. Son las seis y media de la tarde y un letrero les indica que no piensan abrir hasta las ocho. Claro. En estas latitudes, los restaurantes suelen estar cerrados a las seis y media de la tarde. ¿A quién se le ocurre quedar citado en un restaurante a las seis y media de la tarde?

–Está cerrado –dice él, procurando que no parezca que le recrimina nada ni que está pidiendo explicaciones.

–Sí, está cerrado –sonríe ella, procurando no ser impertinente.

Una pausa. Largo silencio. Quizá ambos están esperando que el otro se justifique y se disculpe o sugiera una alternativa. Pero ninguno se justifica ni se disculpa.

–Bueno –se decide él, animoso–. Vamos a otra parte. Hay muchos bares por aquí.

–Bien. Vamos a otra parte.

Van a otra parte. Cerca hay un bar abierto donde se ofrecen meriendas, piscolabis y tentempiés. Esta zona de la ciudad es señorial, el bar es de diseño, los camareros son exóticos y guapos, como sacados de un *casting*, los precios son desorbitados, la música de fondo es agradable y suave, como un masaje en los pies.

Piden refrescos y algo para picar. ¿Canapés? No, almendras. Luego, mientras el camarero corre a cumplir sus órdenes, se sonríen y suspiran esperando cada uno que el otro inicie la conversación. Segundo silencio incómodo.

Finalmente, Antonio Gris pone sobre la mesa la caja que trae consigo.

–Bueno, vamos al tema que nos ha reunido aquí. Te he traído estos zapatos para tu dolor de piernas.

–Ah, pues vaya... –dice ella–. Ya no me duelen las piernas. En absoluto.

Antonio Gris no disimula su desconcierto.

–¿Ah, no?

–No –suelta ella, muy satisfecha de sí misma.

–Pues me dijiste que sufrías mucho.

Berta supone que se refiere al día de la barbacoa.

–No seas exagerado. Te dije que me dolían un poco. Pero ya no me han dolido nunca más.

–Escribiste «sufro mucho». Literalmente.

Berta piensa ahora que fue él quien, en su correo electrónico, dijo que sufría mucho. «Me duele el corazón. Sufro mucho». Pero no se lo dice porque no quiere discutir. Es curioso cómo la gente recuerda las cosas a su manera.

–Pues ya no sufro mucho –afirma.

–¿Ya has usado los zapatos Zapanat?

–No. No me ha hecho falta.

–¿Y cómo es que ya no te duelen las piernas?

–Porque me medico. Soy médico, he estudiado siete años de carrera y conozco las enfermedades y la forma de curarlas. Y tomé unas pastillas que son definitivas para el dolor de piernas. Dos pastillas y se acabó.

Va a decir: «¿Y tu corazón?», pero Antonio insiste:

–Ese dolor volverá. Si no te pones los zapatos Zapanat, el dolor volverá, y mucho más agudo. Un tormento mil veces superior a la muerte. Quiero que veas...

Va a levantar la tapa de la caja, pero, sin perder la sonrisa, Berta pone su mano encima y se lo impide. Los zapatos Zapanat son tan feos que su sola visión puede arruinarle la tarde.

–No. No hace falta. Ya los he visto.

Él desiste, un poco desilusionado.

–Pero, entonces, ¿para qué querías verme?

–No era yo quien quería verte, sino tú a mí. Creo que querías hablarme de tu corazón.

–¿De mi corazón? –Antonio se ríe brevemente y da un manotazo en el aire para quitarle importancia a su corazón–. Ah, sí, mi corazón. No. No hay problema. Ninguna importancia. Falsa alarma. No me hagas caso. Ya pasó.

–Pero el otro día estabas preocupado por el dolor de tu brazo izquierdo...

–No, ningún problema. Ningún dolor. Debió de ser un mal gesto.

–Dijiste: «Me duele el corazón».

–¿Eso dije? No me acuerdo. Sería alguna broma.

–¿Sabes qué creo? Que estás tan asustado que eres incapaz de afrontar el problema. ¿Por qué no vienes a mi consulta y te hago un reconocimiento...?

–No. Porque no –muy tajante.

–Ah.

Se produce un tercer silencio largo e incómodo.

–Yo creo que harías bien poniéndote estos zapatos que...

Berta descarga un sonoro manotazo sobre la tapa de la caja.

–No.

–Ah.

Llega el camarero de diseño con los refrescos y unas avellanas. Se dispone a informar a los señores clientes de que no tienen almendras y tendrán que ser avellanas cuando Berta dice, con firmeza:

–Háblame de tu corazón.

Y Antonio replica con idéntico aplomo:

–Háblame de tus piernas.

El camarero mira de reojo sin mover la cabeza, primero a él, luego a ella, suspira, renuncia a informarles de nada y se va.

Cuarto silencio largo e incómodo.

–A mis piernas no les pasa nada.

–A mi corazón tampoco le pasa nada.

–Entonces –se decide Berta al fin–, me pregunto por qué me escribiste un e-mail citándome en el Mikado.

–No, perdona. Tú me escribiste un e-mail citándome en el Mikado.

–Fuiste tú.

–No. Fuiste tú. Y decías: «Necesito hablar con usted en secreto. Quiero que sepa que sufro mucho por usted. No le diga nada a nadie, a nadie, a nadie».

–Perdona, pero fuiste tú quien decías: «Quiero hablar con usted en secreto. Me duele el corazón. Sufro mucho. No se lo diga a nadie nadie nadie ni a mi esposa menos».

–¿Llamándote de usted? Yo nunca habría dicho eso.

–Es verdad. ¿Por qué nos llamamos de usted?

–Nos estamos tuteando.

–Pero en los mensajes nos llamábamos de usted.

–Yo no habría escrito nunca eso.

–Ni yo tampoco.

Quinto silencio largo e incómodo.

Antonio lo rompe carraspeando:

–Oye, perdona, me encanta haberme encontrado contigo y haberme tomado estos refrescos y estas avellanas, por cierto, ¿no tenían que ser almendras?, y haber mantenido esta agradable y enriquecedora charla, pero si tú no escribiste el e-mail que recibí y yo no escribí el que recibiste tú, ¿quién los escribió?

Sexto silencio largo e incómodo.

–¿Un bromista? –apunta Berta.

El corazón de los dos pega un discreto brinco.

–¿Ese empleado de tu marido? ¿Bernardo?

Séptimo silencio largo. Rompen a reír los dos alegremente. Ahora lo entienden todo. Qué tontería. Ja, ja, ja. Por fin, vistos de lejos, parecen ser lo amigos que son.

Ja, ja, ja. Qué tontería.

7

A PARTIR DE ESE JUEVES comienzan a pasar cosas raras en el mundo de las dos niñas y su periferia.

Es el caso del bromista Bernardo, por ejemplo. Ese mismo sábado recibe una serie de visitas inesperadas y, aunque Alicia y Paula no lleguen a enterarse de ello, el incidente está directamente relacionado con ellas. Él y su esposa se están preparando para ir a cenar con unos amigos, y mientras terminan de vestirse y acicalarse, alguien llama al timbre del portero electrónico y una voz gruesa y grosera anuncia:

–¡Pizza Vip!

–¿Qué? –pregunta Bernardo extrañado.

–¡Pizza Vip! ¡Su pizza!

–¿Cómo que mi pizza? Yo no he pedido ninguna pizza.

–¿Es usted Bernardo Montero, de la calle Via de Napoli, 36, quinto piso?

–Sí.

–Pues haga el favor de abrirme la puerta, porque le traigo una pizza y me la tiene que pagar.

–¿Que se la tengo que pagar? ¡Pero si yo no la he pedido...!

Suena de nuevo el timbre.

–¡Pizza Mario! ¡Su pizza!

–¿Cómo que mi pizza? ¿Otra?

En ese preciso instante, un vecino abre el portal y los dos recaderos de las pizzerías se cuelan con él en el zaguán. «Traemos unas pizzas para el señor Bernardo Montero». Y aprovecha también para colarse el representante de un tercer restaurante italiano con su correspondiente pizza gigante. «¡Un momento, un momento, que voy al quinto piso, a casa del señor Bernardo Montero!».

Bernardo y su esposa esperan a la puerta de su apartamento, con los pelos de punta y los ojos como platos fijos en la puerta del ascensor. Se han planteado muy seriamente atrincherarse en casa y colocar una barricada de muebles contra la puerta, pero les ha parecido que eso podría agudizar el escándalo y atraer la atención de vecinas criticonas.

–¿Estás seguro de no haber encargado una pizza por teléfono? –pregunta la esposa.

–¡Estoy seguro de no haber encargado tres pizzas por teléfono!

Se abre la puerta del ascensor y salen de él tres muchachos corpulentos con vistosos uniformes, cargados con cajas de pizzas gigantescas. Una margarita, una cuatroquesos, una boloñesa. Los tres exigen que les sean pagadas a tocateja.

Y antes de que Bernardo haya podido dialogar y aclarar algo con ellos, ya está llamando abajo el motorista enviado por Pizza Smuggs, que dice traer una parmigiana monumental, y se le añade el que carga con una romana súper de Pizza Superrapidezza, y el portador de una birlibirloque colosal de Pizza Bari. De una forma u otra, han conseguido introducirse en el edificio y, después de utilizar el ascensor, los tres se suman a los otros tres frente al piso de Bernardo, que tartamudea a coro con su esposa:

–Pero, pero, pero, esto, esto, esto, es, es, es... ¿Qué es esto?

Exigiendo que les sean abonadas sus aportaciones gastronómicas, los seis visitantes han elevado el tono de sus voces, que se superponen y se atropellan, y forman una algarabía que atrae de inmediato la atención y la presencia de los vecinos más cotillas. Son muchachos sencillos y elementales, primarios, espontáneos, fuertes y un poco brutos, muy capaces de recurrir a la violencia física para salirse con la suya, y eso hace que Bernardo termine pagando las seis pizzas añadiendo, además, una generosa propina. Y cuando se van los alborotados transportistas y los dueños de la casa han cerrado la puerta de golpe y apoyan la espalda contra ella para prevenir nuevos asaltos, se encuentran estupefactos ante las seis cajas de tamaño exagerado, cada una procedente de un establecimiento distinto.

Y en una caja ven que está escrita la palabra HAY, y en otra caja pone LAS, y en otra SABER, y en otra BROMAS, y en otra ENCAJAR, y en la última QUE. Palabras que, debidamente ordenadas, transmiten el mensaje: HAY QUE SABER ENCAJAR LAS BROMAS.

Entonces, la esposa de Bernardo le recrimina:

–Te dije que un día te pasaría algo así.

–Pero ¿quién lo ha hecho? ¿Y por qué?

–Cualquiera puede habértelo hecho. Desde que te conozco, has gastado bromas a todos los que te rodean.

Ese mismo sábado, las familias Gris y Vidal se han reunido en el piso de los primeros, un ático dúplex con vistas al mar, y se ríen a carcajadas celebrando el bromazo de las pizzas.

Las niñas no saben a qué vienen tantas risas, porque están jugando en el piso de arriba y porque sus padres no se lo van a contar. En el fondo, están convencidos de que no es correcto gastar ese tipo de jugarretas y no quieren que cunda su mal ejemplo. Joaquín Vidal da por supuesto que Bernardo sabrá perfectamente que el aluvión de pizzas no fue más que la revancha por haberles enviado a ellos, Joaquín, Berta, Antonio y Dolores, a unas disparatadas citas a ciegas.

Pero desde el mismo jueves de las citas, pasando por el viernes, el sábado, el domingo y los días siguientes, continúan sucediendo cosas raras en las casas de Paula y Alicia, y estas no les pasan desapercibidas.

Paula ha sorprendido a su madre hablando en voz baja por teléfono. Al descubrir la presencia de la niña, ha cortado la comunicación precipitadamente, con un gesto que la niña podría haber calificado de furtivo y culpable, si supiera lo que significa furtivo y culpable.

Alicia tiene serias sospechas de que su madre está preparando un viaje secreto. Ha descubierto que ha bajado unas maletas de la buhardilla y parece estar seleccionando ropa. Y cuando Alicia ha entrado en el dormitorio mientras ella esparcía su atuendo sobre la cama, Berta ha disimulado también, muy azorada.

–¿Qué haces, mamá?

–¿Quién? ¿Yo? ¿Por qué lo dices? No estoy haciendo nada. Nada de nada. Anda, vete a jugar.

Lo que sus padres están haciendo es preparar la espectacular fiesta sorpresa de Antonio Gris, claro está, pero las niñas no lo saben ni lo pueden saber. Los mayores no suelen fiarse de la discreción de los menores y los conspiradores se han transmitido la consigna de que «a las niñas ni una palabra porque se podrían ir de la lengua».

Y, para ellas, tanto secreto y tanto misterio solo puede tener una explicación. Que, para más seguridad, viene avalada por las conversaciones privadas de doña Paquita, que continúa proclamando a voces por el móvil los problemas del noviazgo de su hija:

–¡Sí, se ve enseguida cuando una persona te oculta algo! Por esas miradas, como si continuamente comprobara si hay cámaras de seguridad ocultas por los alrededores. Está poniendo la mesa y parece que esté robando los cubiertos. Sale de casa para ir a la compra y parece que, en lugar de felpudo, temiera encontrarse un foso lleno de cocodrilos. Está hablando por teléfono y, cuando llegas tú, cambia de voz y de cara, se le ponen ojos de susto y dice: «Bueno, ya te seguiré contando, que ahora hay unos chicos en la playa...» –Alicia cuenta las charlas de doña Paquita tal como las recuerda, no con sus palabras textuales.

–¡Como mi madre, como mi madre! –exclama Paula cuando Alicia le pone al corriente de los cotilleos.

–...Y otro día –ha dicho doña Paquita en alguna otra ocasión–, le pilla con la maleta abierta encima de la cama y metiendo ropa en ella, que si calzoncillos Calvin Klein, que si camisetas, que si pantalones, que si un jersey... Y le grita: «¿Por qué estás haciendo la maleta?». Y el muy sinvergüenza que dice: «Es ropa para los pobres, que yo ya no me la pongo». ¡Habrase visto, sinvergüenza! ¿Tú crees que les va a dar sus calzoncillos Calvin Klein a los pobres...?

Alicia salta de alegría:

–¡Como mi madre, como mi madre!

Para ellas no puede haber una noticia mejor, porque certifica que han alcanzado el objetivo previsto. Tantos secretos, misterios, miradas y maletas a medio hacer significan que el glorioso jueves anterior, Joaquín Vidal y la madre de Paula, en el restaurante bar Frasio, como decía un libro que había leído una vez Alicia, «habían sido fulminados por el rayo del amor». Desde ese momento, Dolores experimenta la necesidad de hablar por teléfono con Joaquín a todas horas, y lo hace en voz baja, temerosa de ser descubierta por Paula o por su marido. Y, simultáneamente, la cita en el Mikado también dio lugar al enamoramiento explosivo de Antonio y Berta. A los dos les ha dado tan fuerte que han decidido hacer juntos un viaje secreto.

Ahora solo falta esperar que ambos matrimonios decidan divorciarse y celebrar las bodas cruzadas. Y las niñas calculan que es cuestión de días.

En semejante estado de expectación y excitación, un día ven a Mercedes Bordón en el parque. La divisan desde la terraza del ático donde viven los Gris. Está en la zona de juegos, cerca del arenal, de los toboganes y de los columpios, y parece sola. Paula y Alicia no se pueden contener. Grita la primera: «¡Mamá, bajamos al parque!», y las dos se precipitan escaleras abajo, saltando los escalones de dos en dos, riendo y gritando, haciendo carreras, tan alegres. Salen corriendo al parque, ni siquiera tienen que cruzar la calle, y se aproximan a Mercedes Bordón, que está sentada, cabizbaja, como abatida, haciendo dibujitos en el suelo con una rama.

No parece la niña más feliz del mundo, pero Mercedes Bordón nunca ha sido muy dicharachera. Las dos amigas y futuras hermanas se acercan a ella despacito, como si fuera un animal salvaje y asustadizo. Se conocen del colegio. No pertenecen al mismo grupo, pero piensan que no importa. ¿Podrían hablar con ella un rato? Como está sola, no debería importarle.

–¿De qué queréis hablar? –pregunta Mercedes Bordón, a la defensiva.

–Es que nuestros padres están a punto de separarse...

–¿Sí? –exclama ella con viveza, adoptando repentinamente la actitud abierta de quien acaba de tropezarse con dos almas gemelas.

–Sí, y como tus padres también se separaron, hemos pensado que a lo mejor nos podrías orientar...

–Orientar, ¿en qué sentido?

–¿Tú supiste que se iban a separar antes de que se separaran?

–Sí... –contesta Mercedes Bordón, como si le faltara el aliento–. Bueno, me lo parecía...

–¿Por qué te lo parecía?

–Porque mi padre, de pronto, empezó a tener secretos con mi madre... Hablaba por teléfono como en secreto...

–¡Hablaba por teléfono como en secreto! –corean las semihermanas, como quien canta un gol.

–... En voz baja...

–¡En voz baja!

–... Y si aparecía alguien por allí, disimulaba...

–¡Disimulaba!

–¿Y prepararon algún viaje? –pregunta Paula.

Mercedes Bordón duda.

–No. No sé si lo prepararon. Pero al final se fueron, eso sí.

–¡Se fueron de viaje!

–¿Y tu madre también hablaba por teléfono a escondidas?

–No. Mi madre lloraba.

Esta afirmación desconcierta absolutamente a las dos amigas.

–¿Lloraba? –en su guion no estaba previsto que nadie tuviera que llorar.

Mercedes Bordón tarda en responder. Está mirando algún grano de arena muy concreto del suelo del parque. Traga saliva y tuerce la boca. Y quiere decir algo, pero de repente estalla en un llanto tan imprevisto como desconsolado.

–¡Es horrible! ¡Espantoso! –grita al tiempo que oculta el rostro entre las manos.

Paula y Alicia la miran sin comprender, boquiabiertas, agarrotadas, como pasajeros del *Titanic* ante el iceberg.

–¿Cómo que horrible?

–¿Cómo que *pantoso*? ¿Qué quiere decir *pantoso*?

8

En la vida hay momentos horrorosos en los que uno descubre que había vivido engañado. Creías que todo el mundo te quería y de repente resulta que hay mucha gente que te odia o que te desprecia o incluso que ignora que existes. O creías que algunas personas o animales de compañía eran inmortales y un día te abandonan para siempre. O estabas convencido de que la magia existía y, en el momento más inoportuno, algún idiota te cuenta todos los trucos del prestidigitador. O confiabas en que Superman te salvaría del peligro, o al menos que te haría compañía en tus horas de aburrimiento, y una mañana, al levantarte de la cama, descubres que estás hecho de kriptonita.

La conversación que sostienen Alicia y Paula con Mercedes Bordón en el parque es uno de esos momentos espeluznantes.

De golpe, todas sus ilusiones se hacen añicos, como un espejo caído desde un sexto piso.

Sacudida por los sollozos y con los ojos enturbiados por las lágrimas, Mercedes Bordón les descubre la siniestra realidad.

Todo parece que va bien hasta que la armonía familiar se ve envenenada por el aburrimiento, los silencios, las ironías, los sarcasmos e, inesperadamente, las discusiones y los gritos por naderías, los portazos, los llantos de mamá, la crispación de papá. La nube negra de la desdicha colándose e instalándose en casa. Según Mercedes Bordón, esa nube negra es como un monstruo de película de terror que se te agarra al cuello y de día no te deja respirar y de noche te ataca con pesadillas insoportables para que no puedas dormir.

–¿Decís de verdad que os gustaría que vuestros padres se separasen? –pregunta la chica, incrédula. Y añade, con mucho énfasis–: No sabéis lo que decís. La mayoría de los padres, cuando no se quieren, se odian.

–¿Se odian? –exclaman las futuras hermanas, estremecidas.

–No se pueden ver, nada del otro les parece bien, se critican, se ignoran y empiezan a mentirse el uno a la otra.

–¿Mentirse el uno a la otra? –gimotean Alicia y Paula con esa voz que se pone cuando estás saltando en paracaídas.

–O la otra al uno. Es el momento de las llamadas telefónicas misteriosas...

–¿Llamadas telefónicas misteriosas?

–... Los secretitos, las ausencias, mamá desprecia a papá y papá corre como un perrito detrás de ella, o bien papá ignora a mamá y mamá corre desesperadamente detrás de papá. Y un buen día, rompen.

–¿Rompen?

–Rompen.

El espejo hecho añicos.

–Papá no está en casa y mamá parece que se vuelve loca. O mamá no está en casa y papá se convierte en una fiera enjaulada. Si empezaron con los llantos de mamá y la furia de papá, un día llegarán los llantos de papá y la furia de mamá. Si todo va un poco bien, no os hablarán mal el uno de la otra ni la otra del uno, pero podría darse el caso. Y entonces resulta insoportable porque tú todavía quieres a papá y todavía quieres a mamá, aunque ellos no se quieran entre sí, y no puedes tolerar que el uno diga de la otra que es una esto o una aquello, o que ella diga de él que es un tal o que es un cual. A ti te gustaría defenderlos a los dos, salir al paso de esas disputas y recordarles que, hasta hacía dos días, los dos se estaban abrazando continuamente, y se sonreían, y eran felices, y no hablaban mal el uno del otro. Entonces te das cuenta de que algo se ha roto definitivamente, se ha roto la cuerda y caes al abismo, o se ha roto la casa y no tienes dónde guarecerte, o se te ha roto la familia y no tienes a quien abrazar, y es inútil que, al verte triste, tus padres pongan buenas caras y sonrían así, en plan postizo, y te digan que no pasa nada, porque sí pasa, pasa algo abominable y terrorífico y nadie puede evitarlo, porque si se ha roto, se ha roto y no hay forma de recomponerlo. Tienes ganas de pedirles –dice Mercedes Bordón, apasionada como una actriz de culebrón–, de rogarles que no se separen, que no se separen: «¡No os separéis!»...

Sus dos oyentes asienten enérgicamente con la cabeza, suplicantes, a punto de gritar ellas también: «¡No os separéis, no os separéis!», y Mercedes Bordón frustra sus anhelos.

–... ¿Pero cómo no se van a separar? ¿Cómo van a vivir así el resto de sus vidas? ¡Es imposible, sería inhumano! Y entonces, a ver quién se va de casa. ¿Papá? ¿Mamá?

Paula y Alicia niegan con la cabeza. No, no, ellas no quieren que se vaya ninguno de los dos. Hasta ahora, nunca se lo habían planteado desde este punto de vista. No entendían que separarse significara irse, porque se trataba de unirse, hacer de dos familias una, de dos treses un seis, no seis unos cada cual por su lado. Pero la experiencia de Mercedes Bordón les está dando en los morros con fuerza, de la manera más dolorosa. Ahora comprenden que si una pareja rompe, ROMPE. Rompe de quebrarse, de trocearse, de destrozarse, de hacerse fosfatina. Y nadie ha inventado un pegamento para ello.

–… Y queda un papá por aquí, una mamá por allí, y un hijo en medio. Un rato con el uno y un rato con la otra, que quiere decir un rato sin la una y un rato sin el otro y muchos ratos sin ninguno de los dos. Y si todo sigue yendo bien, continuarán hablando bien el uno del otro. Pero si va mal, tendrás que aguantar que las personas que más quieres se pasen la vida insultando y criticando a las personas que más quieres. Empiezan a repartirse las cosas de casa y eso da lugar a infinidad de discusiones por tonterías. Ahora los dos quieren una misma lámpara, a la que nunca habían hecho el menor caso. Esa lámpara se convierte en el objeto más valioso de su pasado. O la cámara de fotos. O el rallador de queso. Y un día papá se enfada y dice: «Pues ni para el uno ni para el otro», y agarra el jarrón chino y lo estrella contra el suelo, y mamá se pone a llorar con un sentimiento que te rompe el corazón. También puede darse el caso de que sea mamá quien se enfade y papá se ponga a llorar hasta romperte el corazón. Y más tarde vienen los abogados, que te hacen preguntas…

–¿Abogados que te hacen preguntas? –Paula y Alicia se imaginan interrogatorios ante un juez, como en las películas: «¿Dónde estabas a las diez de la noche del día tres de febrero...?» y «¿No es más cierto que estabas en el lugar del crimen?».

–Al final, te acostumbras.

–¿Te acostumbras? –se sorprenden, parpadeantes.

–¿Cómo puedes acostumbrarte a eso?

–Te acostumbras. Porque te parece que al final de todo, cada uno por su cuenta, ellos se van relajando, y casi están bien, y tú tampoco estás tan mal.

–Bueno... –suspiran las dos amigas, un poco aliviadas, disfrutando de la calma después de la tormenta.

–... Pero entonces –vuelve a la carga Mercedes Bordón, inmisericorde– empiezan a buscar novio y novia respectivamente. Y tú sientes que eres un estorbo.

–¿Un estorbo? –palidecen.

–Un estorbo cuando no encuentran a nadie y no saben vivir su soledad, y lloran y moquean y suspiran delante de la tele, y van de un lado para otro sin ganas y sin fuerzas, con una desgana antipática, como si hubieran agotado las ganas de vivir. Y eso dura mucho, mucho tiempo, porque nunca se quedan con el primer candidato...

–¿Nunca se quedan con el primer candidato? –exclama el público de dos. El primer candidato de la madre de Paula es el padre de Alicia, y la primera candidata del padre de Paula es la madre de Alicia, y si «nunca se quedan con el primer candidato», su Plan Perfecto zozobrará.

–No. Nunca se quedan con el primer candidato porque al primer candidato siempre lo compararán con el anterior, con papá o mamá, y eso les recuerda su amor primero y reciente, y les remuerde la conciencia... Por lo visto, cuesta mucho dar ese paso, de manera que nadie les parece lo bastante bueno, y al primero lo rechazan, y al segundo casi que también...

–¿Pero entonces...? –Alicia y Paula se miran como los tripulantes del *Apolo XIII* antes de comunicar a Houston que tenían un problema. Todo su plan, a la papelera.

–... Y eres una molestia –continúa Mercedes Bordón, implacable– cuando ven a lo lejos al próximo gran amor de su vida y se enamoran y le dedican toda su atención, incluida la porción de atención que te correspondería a ti. Y empiezan a salir de noche y a volver muy tarde y raros y raros, y mamá le dice a papá: «Hoy te toca a ti», hablando de ti, y papá se resiste: «No, que te toca a ti», y tú estás ahí en medio, escuchándoles y mirando a un lado y a otro como espectadora de ping-pong, y entonces tomas conciencia de que están hablando de ti y de que sobras...

Paula y Alicia están patitiesas, boquiabiertas, catatónicas, paralizadas por el terror.

–... Y luego... –quiere continuar Mercedes Bordón.

–¡Basta! –gritan las dos amigas, agónicas.

–... Se casan y traen a casa a los hijos de los nuevos papás, tus hermanastros...

–¡Basta!

–... Y tus nuevos papás nunca son como los antiguos papás, por mucho que se empeñen...

–¡Basta!

–... Y tus hermanastros te quitan lo que es tuyo y siempre son los favoritos de todo el mundo, incluso tus padres les hacen más caso a ellos que a ti...

–¡Basta!

–... No sabéis la suerte que tenéis de ser hijas únicas, con toda su atención para vosotras...

–¡Basta, basta!

Alicia y Paula salen corriendo, despavoridas y horripiladas, y regresan al ático de los señores Gris como si acabaran de enterarse de que las calles se están llenando de muertos vivientes y las autoridades aconsejaran atrincherarse en el mejor de los refugios.

Esta noche, ninguna de las dos consigue dormir muy bien.

Cada una en su casa, en la oscuridad de su habitación, permanece con los ojos abiertos, atenta a cada ruidito de la casa.

Cualquiera diría que han sido ellas quienes han cometido el error de laboratorio que ha llenado las calles de muertos vivientes.

9

DESDE SU CONVERSACIÓN con Mercedes Bordón en el
parque, tanto Alicia como Paula empiezan a ver la vida
y el mundo de forma completamente distinta. Ahora,
Alicia ya no se siente contrariada por los besitos, caricias
y arrumacos a los que se entregan sus padres continuamente. Al contrario, cuando los ve tan cariñosos siente
que se ilumina su esperanza y piensa que tal vez aún está
a tiempo de salvar su matrimonio.

Sin embargo, su angustia hace que esté atenta a los
menores detalles, y la mirada perdida de su madre durante
un segundo, o aquel suspiro incontenible, o una mueca
de disgusto cuando cree que nadie la ve, devuelven la inquietud a la muchacha. Después de todo, Mercedes Bordón les dijo que, cuando la ruptura es inminente, los cónyuges suelen mentirse el uno al otro. Alicia no descarta
la posibilidad de que las expresiones de afecto sean fingi-
das. Y lo peor es que la hija de los Vidal tiene la sensación de que ya no es posible dar marcha atrás para evitar
la catástrofe. Ella y Paula han puesto en funcionamiento
una máquina que ya nadie podrá detener.

Y en casa de los Gris, el estado de ánimo de Paula es
muy similar. También ella disfruta de la obsesión de
sus padres por el orden y la limpieza como nunca había

disfrutado. Y hasta le gusta que la aconsejen y le hablen del día de mañana, y jueguen con puzles y juegos educativos, y procura seguirles la corriente, muy atenta y sin bostezar. Ese comportamiento de siempre la tranquiliza un poco y le sugiere que el enamoramiento apasionado que se inflamó entre su padre y Berta y entre su madre y Joaquín no es tan irreparable. A lo mejor los enamoramientos no son tan poderosos y devastadores como nos hacen creer en televisión, sino caprichos pasajeros que igual que vienen se van. El problema de Paula es que no se ha enamorado nunca y no entiende mucho sobre el tema. Y cuando más confiada está, vuelve a sorprender a su madre hablando por teléfono como si fuera un ladrón haciendo planes y a Paula vuelven a temblarle las piernas.

Y por fin, no puede contenerse más, se decide a preguntar a su madre con voz vacilante:

–Tú y papá no os vais a separar, ¿verdad?

Dolores se sorprende, abre la boca, arquea las cejas; durante unos largos segundos, parece que no sabe qué responder, gana tiempo.

–¿Cómo?

–Tú y papá no os vais a separar, ¿verdad?

La madre consigue arrancar a sus cuerdas vocales una risita desconcertada.

–¿Pero qué dices? –y se aleja por el pasillo comentando–: Pero qué cosas tienes. A quién se le ocurre. Qué cosas preguntas. Desde luego…

Paula se queda clavada en el sitio, con el alma en vilo. Porque mamá no ha dicho que no. «¿Os vais a separar?», y no ha dicho que no. Al contrario, al final de su respuesta y del pasillo, Paula ha podido oír perfectamente las palabras «Desde luego». «¿Os vais a separar?». «Desde luego».

Más tarde insistirá, llorosa:

–¿Os vais a separar?

–¡Claro que no! –exclama su madre, desconcertada.

Pero antes ha dicho «Desde luego». Primero «Desde luego» y enseguida «¡Claro que no!». Mercedes Bordón dejó bien claro que los padres mienten poco antes de separarse.

Y dos días antes del cumpleaños de papá, la conversación definitiva, la puntilla, el tiro de gracia.

Están cenando. Su padre está sirviendo agua de la jarra en el vaso de su madre cuando esta anuncia con plena indiferencia, inconsciente de la trascendencia de sus palabras:

–Ah, ¿sabes? El día de tu cumpleaños no podré celebrarlo contigo.

Para Antonio Gris es una mala noticia. Se sienta, consternado, atónito, desolado.

–¿Qué dices?

Para Paula es la bomba.

–¡No puedes hacer eso!

–No me queda más remedio. Hay una convención de escritores, traductores y editores en Calatayud y me han pedido que haga una ponencia sobre mi experiencia.

–Pues vaya –rezonga Antonio Gris con mala cara.

A Paula se le rompe el corazón ante aquella mala cara. La interpreta como la manifestación del más profundo desconsuelo. Mamá nunca ha faltado a la celebración del cumpleaños de papá. Jamás. Esto es el principio del fin.

–Los Vidal ya habían preparado una fiesta en su jardín –objeta el pobre hombre.

–Sí, ya lo sé, y lo siento. Bueno, tú y yo podremos celebrarlo más adelante, en la intimidad.

Mentira. Paula sabe que mamá está mintiendo. Si no asiste al cumpleaños de su padre, ya nunca más volverá a celebrar ningún otro. Su padre, en cambio, ignorante de todo lo que se le oculta, hace un esfuerzo por conformarse:

–Bueno, está bien...

–¡No, papá! ¡No está bien! –grita su hija.

–¡Niña! –la riñen los dos–. No te metas en cosas de los mayores.

Pero la madre añade, atenta a la reacción de su marido:

–Pero si quieres... Si quieres, lo dejo y no voy.

–No, no –se niega él, generoso.

–¡No, no, papá! ¡No quieras, no quieras!

–Que te calles, Paula. ¿Pero qué te pasa hoy?

Insiste Dolores:

–Claro que perdería la oportunidad de conocer a un par de editores muy importantes...

–No, no, de ninguna manera –insiste el marido, que por nada del mundo querría desbaratar la carrera profesional de su mujer.

–Mamá –interviene Paula, a punto de llanto–. No puedes hacerlo.

Pero sus padres son inflexibles. Los padres más inflexibles del mundo.

–Lo que hay que hacer, hay que hacerlo y no queda más remedio. Antes es la obligación que el jolgorio.

Espantada como si la hubieran colgado por los tobillos de lo más alto del palo mayor, Paula corre a telefonear a su amiga Alicia. Aunque susurra, su voz suena, más o menos, como la sirena de una ambulancia:

–¡Tenemos un problema!

Su amiga Alicia la respalda:

–¡Un problema más gordo de lo que te puedas imaginar! –en un tono igualmente trágico.

Le cuenta lo que ella ha vivido:

–¿Recuerdas que te dije que mi madre había estado preparando maletas, como para un largo viaje? –sí, Paula lo recuerda–. ¡Pues el equipaje ha desaparecido!

–¿Cómo que ha desaparecido?

Bueno, no ha desaparecido exactamente. Ahora Alicia lo cuenta mejor, sin golpes de efecto: el equipaje parecía haber desaparecido. La niña sabía que su madre había estado haciendo las maletas, pero de pronto, cuando se ha puesto a buscarlas, esas maletas se habían esfumado, no las encontraba por ninguna parte.

–Mamá... ¿Tú no estuviste haciendo las maletas el otro día?

Su madre le dice:

–¿Quién? ¿Yo? –con la actitud quebradiza de quien miente–. No. Ninguna maleta.

Alicia no la ha creído. Y, buscando buscando, ha comprobado que en el armario de su madre faltan muchos vestidos. Y, hurgando hurgando, ha constatado que las maletas no están donde deberían estar. Y, husmeando husmeando, ha llegado hasta la buhardilla y allí, en la buhardilla, entre trastos viejos, ocultas bajo una alfombra vieja, ha encontrado las maletas perdidas. Y ha tratado de levantar las maletas y no ha podido hacerlo porque están llenas, repletas de aquellas prendas de ropa que faltan en el armario.

Entonces, cuenta Alicia que ha bajado de nuevo al primer piso y le ha preguntado a su madre, como si nada:

–Mamá... ¿Estás preparando algún viaje?

Y su madre ha tenido un visible sobresalto, ha cambiado el color de la piel y, según palabras textuales de Alicia, «ha mentido». Porque Alicia sabe distinguir cuando una persona miente: abre la boca unos instantes antes de hablar, mientras piensa: «¿Y ahora qué le digo?». Y mientras decide lo que debe decir, en sus ojos brilla la perplejidad del extraviado que solo sabe que no tiene que pisar la senda de la verdad pero no atina con el punto del bosque por donde entrar. Y sonríe a destiempo y sin ganas, y frunce el ceño para dar a entender que ahora se dispone a hablar en serio, como si durante toda su vida, antes y después de este momento, hubiera hablado siempre en broma.

–... Mi madre ha mentido.

–¿Pero qué te ha dicho? –se impacienta Paula, que está saltando sobre los dos pies, como si se estuviera haciendo un pis largo como el Nilo.

–Me ha dicho: «¿Viaje? Ninguno. ¿Por qué?».

–¿Y tú no le has dicho que habías visto el equipaje preparado en la buhardilla?

–¡No! La habría colocado en una situación muy embarazosa. Habría sido horrible pillar a mi madre en una mentira tan gorda. No me he atrevido. Además, ¿por qué tenía que hacerlo? Ya todo es claro como el agua. Mientras tu madre planea escaparse dejando a tu padre plantado el día de su cumpleaños, la mía ya ha preparado las maletas para escaparse con tu padre ese mismo día...

–Claro: por eso mi padre se ha conformado con el viaje de mi madre y no ha insistido para que se quedara...

Durante el espeso silencio que sigue, las dos amigas llegan a una misma conclusión:

–¡Hay que hacer algo!

Tienen que impedir como sea que ESO SUCEDA. COMO SEA.

10

Llega el día D y la tensión alcanza un extremo casi insoportable. Las familias Vidal y Gris parecen comandos de película de guerra en ese momento en que todos se miran la muñeca y sueltan la famosa frase: «Sincronicemos los relojes».

Dolores, Joaquín y Berta han establecido unos horarios muy ajustados y, por tanto, estrictos, que hay que respetar a rajatabla si quieren que todo salga bien.

A las seis y media de la tarde, Dolores deberá empezar a despedirse afectuosamente de su esposo Antonio y su hija Paula como quien se dispone a viajar a algún aburrido congreso de traductores en Calatayud, de manera que a las siete ya haya bajado a la calle donde estará esperándola un taxi. Este taxi la conducirá hasta el helipuerto de San Adolfo, adonde llegarán, dada la distancia y el nutrido tráfico previsto para esas horas, más o menos a las ocho y cuarto de la tarde. Allí la estará esperando el helicóptero de la empresa Sopetón.

Despegando a la hora prevista, media hora después ya estará descendiendo sobre el jardín de los Vidal, donde se estará celebrando una fiesta sosa con farolillos de papel y baile de la escoba, y donde Antonio Gris, que hasta ese momento habrá estado triste, fané y descangayado, recibirá la gran sorpresa de su vida.

Durante el trayecto en el helicóptero, Dolores habrá tenido tiempo de cambiarse su indumentaria de traductora que va al congreso por otra de esposa que da una sorpresa al esposo, estará hermosísima y radiante cuando baje del aparato con un vestido de seda azul y brillante ajustado a su hermoso cuerpo.

Entonces se supone que Berta y Joaquín ya tendrán el equipaje a punto y lo cargarán en el helicóptero mientras los amigos cantan: «Feliz, feliz en tu día...», y brindan con champán, y a las nueve en punto deberían estar dispuestos para elevarse de nuevo y revolotear, como hacen los helicópteros, hasta el puerto donde los espera el trasatlántico de lujo *Monasterio de Piedra* (que ya son ganas, llamar a un barco *Monasterio de Piedra* y esperar que flote).

Aterrizarán a las nueve y media en la cubierta de la nave, recibidos por los mugidos penetrantes de la sirena, por el aplauso de los pasajeros impacientes y ya advertidos. Antonio recibirá un espléndido regalo de la compañía naviera y el buque zarpará puntualmente a las diez de la noche mientras toman un tentempié con cava y se inicia un sarao que ha de durar toda la noche.

Los tres conspiradores también han previsto que Antonio Gris y su hija Paula, después de despedir a su esposa y madre, se guardarán el pañuelo blanco que habrán utilizado para el efecto y, hundidos en la desolación, solos en aquel piso que sin Dolores siempre parece un desierto, se pasarán un peine por el pelo, harán un pipí preventivo y se trasladarán a la casa de los Vidal, donde les espera el jolgorio que ha de levantarles el ánimo.

A las ocho se les espera allí, como al resto de amigos y conocidos, y durante cuarenta y cinco minutos parecerá que no va a suceder nada anormal, solo música, refrescos, canapés, farolillos de papel y baile de la escoba. Se tratará de que tanto Antonio como Paula continúen hundidos en la miseria de la decepción, añorando desesperadamente a Dolores, para que la llegada espectacular del helicóptero, al inesperado ritmo de la banda sonora de *La guerra de las galaxias*, sea una experiencia loca e inolvidable para el homenajeado. Él, que creía que lo tenían olvidado y ya no esperaba nada positivo de la vida, quedará magnetizado por el helicóptero que bajará del cielo como un fenómeno sobrenatural y la mujer hermosa de vestido azul y brillante, que resultará, milagrosamente, ser su esposa.

Aplausos, risas, sonrisas y lágrimas, brindis, «Feliz, feliz en tu día...», equipaje y superregalo consistente en un paseo por el paraíso. ¿Qué más se puede pedir?

Pero Paula y Alicia también tienen su propio horario y su propio plan, consistente en desmontar el de sus progenitores. Paula no puede resignarse a que su madre abandone a su padre precisamente hoy, en fecha tan señalada. Y Alicia no puede permitir que su padre se fugue con la madre de su mejor amiga, ni hoy ni nunca. De manera que lo han calculado todo.

A las seis de la tarde, una hora antes de la dolorosa partida, siguiendo las órdenes de su madre, Paula se viste de fiesta como si realmente pensara asistir a una fiesta. No necesita una hora para sentirse elegante y guapa, y por eso, después de peinarse y perfumarse, aún le quedan veinte minutos para cumplir su misión.

–Ahora –le advierte su madre–, no hagas locuras. Ponte a leer, tranquilita. No te ensucies el vestido. No te despeines.

Mientras su madre vuelve al cuarto de baño para darse los últimos retoques y cargar las pilas antes de emprender su próxima aventura, la niña se hace con unas tijeras y recorre la casa cortando los cables telefónicos. Ella sabe que si se limitara a desenchufar los aparatos, sus padres sabrían enchufarlos de nuevo y solucionarían el problema en un periquete.

Luego busca el teléfono móvil de su madre en su bolso y el de su padre en la mesita del estudio donde suele dejarlo, y los guarda en su mochila. Podría haberse limitado a tirarlos a la basura, pero correría el peligro de que sus padres los encontrasen, o podría haberlos tirado por la ventana, pero eso seguramente habría hecho enfadar a sus padres más de lo deseable, así que ha decidido llevárselos consigo. Todo está minuciosamente calculado.

Lo mismo que las llaves. Encuentra las de su madre en su bolso y en el dormitorio están las de su padre. Y del cajón de la consola del recibidor saca las copias para emergencias. Todas van a parar al fondo de su mochila.

En todo ello no ha invertido más de quince minutos de los veinte de que disponía. A las siete menos cinco, mientras su madre continúa en el cuarto de baño y su padre dormita hipnotizado ante la tele, Paula se carga la mochila al hombro, recorre el pasillo de puntillas, temerosa de oír tras ella un «¿Dónde vas, Paula?» que no llega, y sale al rellano de la escalera.

Cierra la puerta de golpe. Plam. Pero no se conforma con eso. Enseguida utiliza uno de los juegos de llaves para darle un par de vueltas al cerrojo. Crac y catacrac.

Por último, pero no menos importante, saca de su mochila un papel donde antes ha escrito con muchos colorines: *Mamá, no te vayas. Hoy es el cumple de papá. Reconciliaos. Yo me voy a casa de Alicia.* Pasa el papel por debajo de la puerta y, mientras baja las escaleras alegremente, henchida por la satisfacción del deber cumplido, marca en uno de los móviles el teléfono de su amiga Alicia.

–Fase uno del plan, completada –dice–. Ya voy para tu casa. ¿Cómo va todo?

–De maravilla –contesta Alicia–. Fase dos del plan, completada. Uf, pero ha estado a punto de salir mal. Esta mañana he entrado en el despacho de mi padre y ¿qué veo? Un sobre de los que dan en las agencias de viajes para que metas los billetes. Bueno, he tenido una inspiración y lo he abierto. No he tenido tiempo de entretenerme mucho porque mi madre andaba cerca, canturreando y preparando la fiesta de esta tarde, pero enseguida me he dado cuenta de lo que era. Billetes para un crucero por el Mediterráneo, de una agencia que no es aquella donde trabaja mi padre, una llamada Sopetón. El barco se llama *Monasterio de Piedra* y sale esta noche a las diez...

–¡Esta noche a las diez! ¿Y qué has hecho? –pregunta Paula mientras corre por la calle en dirección a la casa de su amiga.

–Bueno, así, de momento, nada. Ya te he dicho que mi madre andaba por allí y tenía miedo de que me atrapara.

Pero me he quedado muy nerviosa y ella enseguida me ha pedido que la ayudara con los preparativos de la fiesta, y entonces me he fijado en que ella también estaba muy nerviosa, y me ha tenido controlada antes, durante y después de comer. Cuando por fin me ha dejado libre, he corrido al despacho de mi padre... ¡Y los billetes ya no estaban allí!

–¡No!

–Qué horror, qué nervios, qué espanto, yo no sabía qué hacer. He estado corriendo de acá para allá, registrando la casa de arriba abajo, y los billetes no aparecían. Hasta que, hace pocos minutos, se me ha ocurrido mirar en el dormitorio de mis padres y he encontrado todo el equipaje a punto... ¡Y los billetes!

–¿Y qué has hecho?

–Espera, ahora te lo cuento. Pero ese equipaje...

–¿Qué le pasa al equipaje?

–Es un equipaje enorme. Muchas maletas, seis o siete. Demasiadas maletas, demasiado peso, demasiada ropa. Eso no es para un simple fin de semana, Paula. Mi madre se va para siempre.

–¿Para siempre?

–Mi madre y tu padre se van para no volver.

–¿Para no volver? Y entonces, ¿qué has hecho con los billetes?

–Si hubiéramos estado en invierno y hubiéramos tenido la chimenea encendida, los habría tirado al fuego...

–¡Pero no estamos en invierno ni tenéis la chimenea encendida, Alicia! ¡Dime de una vez qué has hecho!

–Los he tirado a la basura.

–¿A la basura? Pero ahí pueden encontrarlos.

–No, no, porque he cerrado la bolsa, he anudado las cintas, he salido a la calle, he ido a los contenedores que hay dos cruces más allá y la he tirado allí. Al contenedor de los residuos orgánicos, que da más asco. Nadie encontrará esos billetes, te lo juro.

–¡Uf! ¡Qué alivio, Alicia!

–Sí, Paula, y que lo digas. Qué alivio.

–Uf –las dos–. Uf.

11

Al oír el ruido de la puerta al cerrarse, Dolores desvía la mirada del espejo del cuarto de baño, consulta su reloj de pulsera y se lleva un susto al ver que ya son casi las siete y todavía no ha terminado de pintarse los ojos. Exclama «¡Oh, caramba!» y su propia voz le impide enterarse de que su hija ha dado dos vueltas a la llave en el cerrojo. Con un par de expertos brochazos remata su maquillaje (no muy cuidado, como si solo fuera a un congreso en Calatayud), da un retoque a su hermoso peinado de peluquería de lujo y va al dormitorio para vestirse. Una discreta blusa blanca camisera, una falda tubo demasiado estrecha, que le recuerda que hace demasiados días que abandonó su dieta y que le obligará a caminar con ridículos pasitos de rodillas juntas, y una chaqueta beige que, a juego con la falda, completa un traje sastre muy austero. Los zapatos son de tacón muy alto, de aguja, modelo exclusivo de una de las zapaterías más caras de la ciudad, mucho más adecuados para conjuntar con un vestido largo y escotado de noche, a poder ser de seda azul brillante y ajustado al cuerpo. Como el que lleva Dolores en la pequeña maleta que ahora recoge para trasladarse al recibidor.

–¡Me voy! –anuncia.

Antonio, en el salón, se sacude el sopor con un cabezazo y sale en mangas de camisa, sin corbata y despeinado, para despedir a su querida esposa. La encuentra muy hermosa con su traje sastre beige, la blusa blanca y ese delicioso peinado de peluquería selecta que incluye una onda y el adorno de una flor blanca. Quizá debiera notar que los zapatos de tacón tan alto serían más adecuados para otro tipo de vestido, pero Antonio pertenece a esa categoría de hombres que no se fijan en esas cosas.

−¿Ya te vas?

Se le ocurre que ahora ella le felicitará su cumpleaños y le dará un beso y un regalo.

Pero tiene que conformarse solo con el beso.

−Sí, ya se me ha hecho un poco tarde. Que te lo pases muy bien.

−Bueno, pues adiós. Buen viaje.

Las miradas de ambos se dirigen al suelo y, simultáneamente, tropiezan con el colorido papel que les ha dejado su hija Paula. *Mamá, no te vayas. Hoy es el cumple de papá. Reconciliaos. Yo me voy a casa de Alicia.* Ah, qué rica.

−Es verdad −reacciona Dolores−. Feliz cumpleaños, Antonio.

Le da otro beso, algo más cariñoso, y su esposo se queda con ganas de regalo. Si no se lo da ahora, ya no se lo podrá dar hasta su regreso de Calatayud. Pero no tiene ocasión de abordar el tema porque en ese momento los dos se fijan en el mismo detalle:

−¿Cómo que se va a casa de Alicia?

−¿Qué significa eso de «reconciliaos»?

El matrimonio proyecta la voz hacia el interior del piso para pedir explicaciones:

–¿Paula?

–¿Paulita?

Se miran.

–¿Se ha ido?

–Se ha ido.

Recorren todo el piso llamando a su hija. El dormitorio, la terraza, la cocina, el cuarto de baño.

–¿Paula?

No está.

–Se ha ido.

–¿Pero cómo que se ha ido?

–¿Qué quiere decir eso de «reconciliaos»?

–Ni idea. Llama a los Vidal, a ver qué dicen –resuelve Dolores, muy intranquila–. No creo que la niña haya tenido tiempo de llegar, pero a lo mejor saben algo. Yo me tengo que ir. Se me va a escapar el tren.

Ya son las siete y diez (diez minutos de retraso sobre el horario previsto). Dolores agarra el pomo de la puerta, lo gira y tira de él. Pero no abre. De momento, no entiende lo que ocurre. Vuelve a probar y la puerta continúa encajada en su marco.

–¿Pero qué pasa? –dice al fin, después de intentarlo por tercera vez.

–¿Qué pasa? –pregunta Antonio.

–Que esto no se abre –explica su esposa mientras sacude la puerta con gran estrépito, como si pensara arrancarla de cuajo con sus propias manos.

–¿Que esto no se abre? –repite él. Aparta suavemente a Dolores con gesto de «Déjame a mí, que tú no sabes», como si pensara que su esposa se ha quedado repentinamente sin fuerzas. Pero tampoco él puede abrir. Termina agarrado al pomo con las dos manos y zarandeando la puerta como presa de un frenesí–. ¡Esto no se abre!

–Está pasado el cerrojo –anuncia ella, que se ha fijado bien.

–¿Pero qué es esto?

Los dos terminan turnándose para tironear de la puerta y hacer bastante ruido, hasta convencerse de que están encerrados. No entienden nada. Como es lógico, Antonio se dirige al dormitorio dando largas zancadas, mientras piensa que su hija es demasiado traviesa, que la han consentido demasiado, que tiene que regañarla severamente. Y no encuentra las llaves donde deberían estar. Al mismo tiempo, en el recibidor, Dolores busca con manos temblorosas las llaves en su bolso y tampoco están allí.

–¿Dónde habré metido las llaves? –murmura como siempre.

–¿Dónde están las llaves? –viene diciendo Antonio.

–Matarile –responde su esposa, distraída.

–No están donde las dejé.

Dolores levanta su mirada, espantada.

–¿Cómo que no están donde las dejaste? –en esta casa, todo está siempre en su sitio, pero tiene que aceptar lo que dice su marido porque sus llaves tampoco están donde ella las dejó, que es el bolso–. ¡Mis llaves tampoco están aquí!

Arrebatado por una súbita inspiración, Antonio abre el cajón de la consola del recibidor. Una ojeada le demuestra que allí tampoco están las llaves de recambio.

–¿Pero qué está pasando? ¿Qué es esto?

–No podemos salir de casa –gimotea Dolores, cada vez más consciente del tiempo que pasa–. ¡Estamos encerrados en nuestra propia casa!

Ya son las siete y cuarto (un cuarto de hora de retraso sobre el horario previsto).

Antonio descuelga el auricular del aparato telefónico que tienen en la sala comedor.

–¿A quién llamas? –pregunta Dolores, aprensiva.

–A los Vidal.

–¿Para qué? –grita ella, porque tiene mucho que ocultar. La menor indiscreción puede echar al garete la fiesta sorpresa. Trata de justificar su pregunta–: Paula aún no habrá llegado.

–Les preguntaré si saben qué está pasando. Además, ellos tienen llaves de casa y podrán venir a rescatarnos –calla en seco y mira el auricular como si este le acabara de insultar al oído–. Este teléfono no funciona.

–¿Que no funciona?

–Que no funciona.

Corren al teléfono de la cocina. Tampoco funciona. Y en el dormitorio descubren que el cable está cortado. No está desenchufado. Está cortado.

–¡Está cortado!

–Sí, sí, sí –tartamudea Dolores, muy aturullada–. Está cortado. Lo he oído.

Al mismo tiempo, va pensando en sus cosas. Tiene que salir de aquí de inmediato. Son ya las siete y dieciocho (dieciocho minutos de retraso sobre el horario previsto). El taxi está esperando abajo. El helicóptero, en el helipuerto de San Adolfo. Y Antonio se irrita un poco más ante su expresión alelada.

–Ya lo has oído, pero no pareces darte cuenta de la situación –dice mientras va mirando en derredor, como si buscara algo sobre los muebles o en lontananza–. Esto lo ha hecho Paula. Tu hija. Ha cortado los cables del teléfono. ¡Esto es un acto de sabotaje –termina de registrarse todos los bolsillos–. ¡Y tampoco tengo mi móvil!

Dolores se ha sumergido en su bolso como si fuera una piscina muy profunda y ahora emerge sin aliento, a punto de ahogarse.

–Yo tampoco tengo mi móvil.

–¿Pero esto qué es?

Son las siete y veinte (veinte minutos de retraso sobre el horario previsto). Dolores ya no puede esperar más. Avanza hacia la pared como si se dispusiera a pasar a través de ella.

–¿Adónde vas? –la detiene su marido, alarmado.

–A pedir ayuda a los vecinos.

Está a punto de descargar sus puños sobre el tabique. Pero se detiene a tiempo. ¿Aporrear las paredes y vociferar como posesos para atraer la atención del vecindario? No. Ese no es el estilo de los Gris. Sus manos se detienen a pocos centímetros del muro. ¿Arruinar el buen nombre de una familia en un instante de desesperación? No, ni hablar. Tiene que haber otra manera. ¿Pero cuál? ¿Qué hacer? El taxi está esperando. El helicóptero está esperando. La fiesta sorpresa está esperando. El crucero está esperando.

A Dolores solo se le ocurre una salida. Es una locura, pero hay que tener en cuenta que está en una situación extrema y, en circunstancias como estas, el estrés impide que el cerebro funcione a su pleno rendimiento. Ha sido durante las catástrofes cuando el hombre se ha demostrado capaz de los comportamientos más excéntricos. Durante el hundimiento del *Titanic,* por ejemplo, la orquesta no dejó de tocar en ningún momento.

–Me voy a tumbar un momento –anuncia con desmayo–. Con tanto jaleo, me ha empezado a doler la cabeza. Tú... prepárame un té, por favor.

–¿Que te prepare un té?

–Por favor.

–¿Un té?

–Por favor.

Dolores sabe fingir muy bien el mareo y Antonio es un esposo amante y aprensivo. Nada le horrorizaría más en este momento que la posibilidad de que su mujer cayera redonda al suelo, y no se despertase, y él se viera obligado a zarandearla y gritarle y abofetearla infructuosamente, sin ni siquiera tener la posibilidad de recurrir al teléfono para pedir auxilio. O sea que si ella cree que su remedio ideal es un té, no duda en correr a la cocina para preparar un té. Entretanto, Dolores se traslada al dormitorio y cierra la puerta calculando que dispone de tiempo suficiente para realizar su plan, porque su marido es de esos que nunca encuentran la tetera y, cuando encuentran la tetera, no saben dónde buscar el té, y cuando al fin tienen tetera y té, se hacen un lío a la hora de calentar el agua.

Consulta el reloj para darse ánimos y, cuando su alma sufre un retortijón al constatar que ya son las siete y veinticinco (veinticinco minutos de retraso sobre el horario previsto), sale a la terraza, prescinde con sendos puntapiés de sus zapatos de tacón carísimos y exclusivos, se cuelga del hombro izquierdo el bolso donde lleva el dinero, las tarjetas de crédito y el pasaporte, y se acerca a la baranda de ladrillo y cemento.

Se asoma al exterior. Algunas veces, mientras estaba allí acodada junto a a Antonio, contemplando el mar, se ha fijado en la cornisa de cinco centímetros de ancho que los une al pequeño balcón del vecino y, recordando películas míticas, se ha preguntado si sería capaz de recorrerla como suelen hacer los personajes de ficción. Incluso calculó dónde se agarrarían sus manos para ejecutar tamaña proeza. Bueno, pues ha llegado el momento de comprobar si es capaz.

Allá va.

Tiene que levantarse la estrechísima falda tubo para liberar y dar agilidad a sus piernas. La arremanga hasta las caderas, casi hasta la exhibición de la braguita («Por Dios, qué vergüenza»), pero le parece una condición imprescindible para la realización de sus propósitos.

Se encarama a horcajadas sobre la barandilla sin detenerse a pensar que está seis pisos por encima de la calle.

«No mires abajo, no mires abajo».

12

Paula Gris llega a la casa de los Vidal caminando tranquilamente, sonriente y satisfecha porque ahora ya sabe que todo va a salir bien.

Alicia Vidal está terminando de poner el mantel en una de las mesas que hay en el jardín, alrededor de la piscina. Ajusta la última pinza para que el viento no se lleve el paño con todo lo que vayan a poner encima; exclama: «¡Hola, Paula!»; anuncia: «¡Mamá! ¡Ha llegado Paula!», y corre hacia su amiga manifestando su alegría. Definitivamente, las cosas van a salir bien.

A través del ventanal que comunica la cocina con el jardín, Berta asiste al encuentro de su hija y Paula y frunce el ceño y consulta su reloj. Las siete y media. Es demasiado temprano. ¿Paula y Antonio no tenían que llegar juntos hasta las ocho, cuando ya hubiera empezado a llegar gente a la fiesta?

Llama la atención de las chicas.

–Hola, Paula. ¿No tenías que venir con tu padre?

–No. Es que me parece que mis padres no van a venir.

¿Qué acaba de decir? Bueno, es una niña y ya se sabe que a los niños no hay que tomarlos al pie de la letra, pero ¿qué acaba de decir?

–¿Cómo no van a venir si esta es la fiesta de su cumpleaños?

–Anda, vamos a jugar –está diciendo Alicia.

–Ya –murmura Paula dejándose arrastrar–, pero me parece que no van a venir porque al final mi madre no se va a Calatayud...

–Sí, claro que sí. Tu madre se va a Calatayud y tu padre y tú venís aquí...

–Ya, pero me parece que ni ella se va a Calatayud ni mi padre vendrá aquí. Bueno, ya sabes cómo son. Bueno, nos vamos a jugar.

Berta se queda inmóvil durante unos segundos. Los críos, ya se sabe cómo son los críos. Pero...

Se queda inmóvil durante unos segundos con la gélida sensación de que las cosas no van a salir bien, no van a salir nada bien.

Las niñas desaparecen de su vista.

«No mires abajo, no mires abajo».

Dolores ha decidido que caminará por la cornisa hasta el pequeño balcón de al lado y, por él, se colará en el piso del vecino y eso le permitirá salir a la calle.

Cuando posa sus pies desnudos en la diminuta cornisa y toma conciencia de lo estrecha que es y, sin soltar la mano derecha de la barandilla («¡Sobre todo, no te sueltes, por lo que más quieras!»), clava las puntas de los dedos de la izquierda en la juntura de dos bloques de cemento, en ese momento se le ocurre que tal vez hubiera sido más discreto aporrear las paredes y solicitar el auxilio de los vecinos a gritos. Pero ya es demasiado tarde. Ya tiene los dos pies sobre la cornisa y suelta la mano derecha de la barandilla y afianza los dedos en esa mínima juntura y ya se siente como una mosca en la pared.

«Oh, caramba», como una mosca en la pared, con la falda arremangada hasta las braguitas y más allá. Luchando contra una fuerza de la gravedad que ahora, aquí, parece mucho más poderosa que nunca.

Y en este preciso instante llega su marido y pega un grito.

Se le ha olvidado que cuando su marido no encuentra la tetera o el té o lo que sea, siempre vuelve al punto de partida para preguntar en un tono característico: «¿Dónde has puesto exactamente el té (o la tetera, o lo que sea)?». Y eso es lo que sucede ahora mismo.

Antonio Gris ha entrado en el dormitorio con la frase a medio pronunciar («¿Dónde has puesto exacta...?») y se ha interrumpido al ver que Dolores no está reposando su mareo en la cama, y que la pequeña maleta es un impedimento en mitad de la habitación, y el ventanal de la terraza está abierto. Y sale al exterior con la intención de terminar: «¿Dónde has puesto exactamente...?». Se ha vuelto a interrumpir ante los zapatos de tacón de aguja, exclusivos, carísimos, tirados de cualquier manera en mitad de la terraza, y entonces ha chillado: «¡Dolores, ¿qué haces?!», al divisar a su querida esposa más allá de la barandilla, como flotando en el aire, pegada a la pared como una mosca y con la falda arremangada hasta lo más alto, exhibiendo sus piernas espectaculares.

–¡Dolores, ¿qué haces?!

Dolores no sabe qué decirle para justificar su repente.

–Pues ya ves. Aquí estoy. A ver si paso al piso del vecino.

–¡Agárrate fuerte! –le sugiere él.

–Gracias –responde ella–. Es lo que intento hacer.

–¡Pero, pero, pero! –Antonio se ha quedado agarrotado.

El balcón de al lado, de pronto, parece tan lejano como la luna. Dolores necesitará al menos cinco pasos largos para llegar hasta él, y le asalta la convicción de que nunca conseguirá cubrir esa distancia. Necesitaría años, décadas, para lograrlo, y no dispone de tanto tiempo. El taxi la espera. El helicóptero la espera. Envejecerá por el camino, sus dedos ancianos ya no podrán aguantar más, y caerá, terrible palabra esta, caerá del verbo caer, que significa salir volando en picado, a una velocidad uniformemente acelerada, hasta seis pisos más abajo. Si le concedemos tres metros de altura a cada piso y cuatro a la planta baja, seis pisos son equivalentes a unos veinte metros, que dicho así no parece mucho, veinte metros, acostumbrados a los centenares o miles de metros de los dibujos animados, cuando se precipita por ellos el Coyote, pero la verdad es que puedes hacerte mucho daño si te caes desde veinte metros de altura. La gente y los coches se ven muy pequeñitos vistos desde veinte metros de altura. Que te matas, vaya. Te caes desde veinte metros y te espachurras.

–¡Cuidado! –aúlla Antonio.

Y así, pensando, pensando, sabiamente aconsejada por su marido, como si nada, Dolores ha conseguido dar el primer paso. La técnica no tiene ningún secreto: alargas el brazo derecho, alejando de ti la mano tanto como te sea posible, los dedos presionando fuerte, tan fuerte que duela, esa breve juntura, que además debe de estar asquerosa de polvo, y cuando ya te parece que estás bien sujeta, adelantas el pie derecho un poco, no mucho, no exageres, un poquito. A continuación deslizas la mano izquierda y, cuando ya crees que te sientes seguro, acercas el pie izquierdo al otro. Un paso. Ya solo queda... una infinidad.

–¿Se puede saber qué estás haciendo? –pregunta Antonio, con una clase de grito desgarrador nada común en él.

–¡Me voy! –responde Dolores.

–¿A dónde?

–¡A Calatayud! ¡Tengo que ir a Calatayud!

–¡No puedes ir así a Calatayud! –balbucea él, sacudido por una especie de frenesí, buscando razones para hacerla entrar en razón, pero incapaz de hilvanar un razonamiento coherente–. ¡Por ahí no se va a Calatayud!

Ya está dando el segundo paso. No hay que precipitarse, pero tampoco eternizarse. A ver si nos vamos a quedar aquí a pasar la noche. Adelante. La mano derecha, el pie derecho. La mano izquierda, el pie izquierdo. Dos pasos. Una persona más optimista y dinámica que Dolores, consciente del progreso, ya daría por buena la experiencia y se consideraría capaz de dar los tres pasos siguientes con absoluta naturalidad, como si transitara por el pasillo de casa. Dolores, en cambio, es de esas personas que no han vivido aventuras más trepidantes que la de cruzar la calle con el semáforo en rojo, y piensa que en las películas, al tercer paso, normalmente el protagonista suele tropezar, o descubre que la cornisa es frágil y cede bajo su peso, lo que da lugar a que pierda pie para que el público exhale un grito de angustia. Dolores no quiere que Antonio, que es su único público, exhale ningún grito de angustia, de manera que mira dónde va a poner el pie. Pero eso significa mirar abajo, y abajo están esos seis pisos, ese abismo que posee la virtud de hacer que todo el mundo ruede alrededor de su cabeza, uau, un mareo, un vahído, como si algún gigante sádico la obligara a dar volteretas en un trapecio. «Ay, caramba No te dejes engañar y da el tercer paso, Dolores».

En situaciones demenciales como esta, el que asiste impotente al delirio de otro parece sentirse en la obligación de hablar sin parar aunque no tenga nada importante que decir. Es algo instintivo e inevitable.

–... ¡Pero qué manía con ir a Calatayud! –continúa Antonio–. ¿Qué se te ha perdido a ti en Calatayud?

Mientras se plantea qué puede responder a eso, Dolores nota con un escalofrío que la falda arremangada, objeto también de la fuerza de la gravedad, se está deslizando subrepticiamente por sus caderas abajo con la intención de recuperar la forma y ceñirse a sus rodillas. Es consciente ahora de que, en el momento de levantársela, se ha dejado reprimir por el pudor y se ha detenido antes de enrollarla en torno a la cintura porque no le parecía decente mostrar al público la marca y diseño de su ropa interior. Ahora se arrepiente de su recato porque, dejada a media asta, la prenda de ropa se dispone a resbalar muslo abajo. Y como llegue a las rodillas, la inmovilizará.

–¡La falda! –está gritando sin darse cuenta.

–¿Qué? –se extraña Antonio.

–¡La falda! ¡Que se me baja la falda!

–¡No te preocupes por tu falda ahora! ¡Tú solo agárrate bien y vuelve!

–¡La falda! ¡Como se baje, no voy a poder mover las piernas!

–Es que no es la falda más apropiada para estas cosas, Dolores –la riñe él, por decir algo–. Haberte puesto otra.

Ha deslizado los dedos por la juntura salvadora, adelanta el pie derecho, luego la mano izquierda, por fin el pie izquierdo, y ya falta menos. Pero la falda ha bajado ya hasta medio muslo. Si separa más las piernas, la rasgará. Si se atreve a juntarlas demasiado, la falda caerá del todo y le atará las rodillas.

–¡La falda! –va gritando.

–¡Quítatela! –le sugiere Antonio.

–¿Cómo me la voy a quitar?

Le parece que el balcón vecino ya casi está al alcance de la mano y, sin mirar atrás, adivina que su terraza y su marido quedan muy lejos, muy lejos, y se le ocurre que, en caso de perder pie, él ya no podría agarrarla de un manotazo, como hacen los héroes de las películas, porque Antonio no tiene los brazos muy largos, y eso la llena de una desolación inmensa, como si ya significara la ruptura definitiva de su matrimonio. Pero, al mismo tiempo, sería impensable volver atrás. No le queda más remedio que dar el cuarto paso.

–¿Qué se te ha perdido a ti en Calatayud? –insiste Antonio, volviendo al punto donde habían interrumpido su diálogo.

–¡El congreso! –argumenta Dolores mientras desliza por la juntura unos dedos que ya deben de ser negros como el carbón, con tanta suciedad acumulada–. ¡Editores!

–¿Y para eso tienes que hacer este número? ¡No merece la pena!

Y avanza el pie desnudo por la cornisa insuficiente, procurando que la presión de sus muslos impida la caída fatal de la falda, y enseguida la mano y el pie izquierdos, con mucho cuidado, mientras Antonio gimotea:

–¡Vuelve, Dolores, que hoy es mi cumpleaños!

–Ahora ya no puedo volver atrás –le hace notar su esposa–. ¡Sería absurdo!

–¿Absurdo? ¿Absurdo? –la verdad es que la palabra «absurdo» adquiere extraños significados en estas circunstancias–. ¿Te has vuelto loca?

Mientras experimenta la tremenda sensación de que el vacío está tirando de ella hacia atrás, Dolores responde:

–No me he vuelto loca. ¿Qué te hace pensar que me he vuelto loca?

Pero no resulta nada convincente. Le tiembla la voz porque, cuanto más pegada se mantiene a la pared, mayor es la tentación de dejarse caer de espaldas. Y entonces resulta que ya está ahí, junto al balcón del vecino, y la siguiente pregunta, escalofriante, es: «¿Y ahora qué hago?».

Pegada de bruces a la pared, como un insecto, sabe que ahora tendrá que apartar los dedos de su querida juntura salvadora para ponerlos en la barandilla que ya tiene ahí mismo. Pero mira de reojo y duda. ¿La tiene realmente a su alcance? ¿No será un espejismo, una ilusión óptica? No, no está demasiado lejos. Está ahí. Y, sin aliento, con el grito de la caída a punto de estallar en sus cuerdas vocales, despega la mano derecha de la pared y la pone sobre la barandilla del balcón vecino, una barra metálica que sobrevuela esa especie de cajón de cemento armado.

A la barra vuela también la segunda mano, atrevida hasta la imprudencia, y la falda tubo aprovecha ese momento y movimiento brusco para caer al fin como un cepo en torno a las rodillas. Y, simultáneamente, el bolso, como una maldición añadida, se descuelga de su hombro y corre a lo largo del brazo hasta quedar colgado de la muñeca izquierda. Horrorizada, Dolores piensa que, si se suelta de la barandilla, el bolso caerá a plomo hasta la calle. Con su dinero, sus tarjetas de crédito y su pasaporte.

–Por favor, no –murmura, al borde del llanto.

Dolores se encuentra encarada al balcón vecino, las dos manos en la barandilla, y con la cintura en violenta torsión, los pies todavía en la cornisa, en pésima postura, casi quebrada, inmovilizada por el terror y por el recato de la falda. ¿Y ahora qué? Solo puede mover las piernas de rodillas para abajo, como quien baila el charlestón. Está inmovilizada, clavada, atada por una maldita falda que se le quedó demasiado estrecha y ya tendría que haber tirado. Y además ella, imbécil, abandonó la dieta. Y esas no son las condiciones idóneas para hacer acrobacias a seis pisos de altura.

13

Para que os hagáis una idea: Dolores está con los dos pies juntos sobre la cornisa, atada por la falda tubo, y el cuerpo vuelto hacia la derecha y desequilibrado, con las manos aferradas a la barandilla del balcón vecino, el bolso colgando de la muñeca izquierda y preguntándose: «¿Y ahora qué hago?, ¿y ahora qué hago?, ¿y ahora qué hago?».

Durante un minuto largo piensa que no le queda más remedio que dejarse caer, quedar colgada del balcón y a continuación auparse a pulso confiando en la fuerza de sus bíceps. Pero no es capaz de hacer eso. No tiene tanta fuerza en los brazos. Lo que la condena a quedarse así para siempre, los pies desnudos en una cornisa, el cuerpo girado a la derecha y las manos soldadas a una barandilla. Pasan sesenta segundos larguísimos que, si son de la misma clase que los que forman la eternidad, anuncian que la eternidad va a ser insoportablemente larga. Sesenta segundos para tomar conciencia de que el tiempo pasa, y después de tomar conciencia, termina adoptando una determinación. Otra de esas decisiones locas de los momentos desesperados.

Dolores se impulsa con las piernas agarrotadas y las puntas de los pies y con los brazos doloridos, y se lanza de cabeza al interior del balcón. Queda con el vientre sobre la barandilla, la cabeza y el torso en el interior del balcón, a pocos centímetros del suelo, las piernas pataleando sobre el vacío y un 74,5 % de su atención puesta en el bolso que cuelga del dorso de su mano izquierda. Si suelta esa mano, bolso, documentación y dinero caerán al vacío. Bascula hacia atrás, como si las piernas pesaran más y tendieran a buscar la verticalidad sobre el abismo, enderezando a la mujer contra su voluntad, como si pretendieran hacer pie en el pavimento que queda seis pisos más abajo; Dolores tiene que cabecear asustada para contrarrestar el balanceo, y cabecea con fuerza suficiente como para precipitarse al fondo del balcón. Casi se da de narices contra el suelo. Su mano derecha suelta la barandilla. En un fulgurante centelleo de clarividencia, entiende que si detiene la caída con la palma de la mano, puede romperse el cúbito, el radio, o incluso el codo o el húmero, y con un hábil giro pone el dorso de la mano en el suelo como hacen los practicantes de artes marciales. Eso hace que caiga blandamente sobre el hombro y pegue una grácil voltereta en el pequeño espacio del balcón, pero tiene que soltar la izquierda de la barandilla si no quiere romperse la muñeca, y un sexto sentido y una desconocida habilidad de prestidigitadora le permiten agarrar el asa del bolso intuitivamente.

Se produce un batacazo sordo, pero sin fracturas ni contusiones graves.

Toma aire. Ya no corre peligro de muerte. Se pone en pie de un salto, se tambalea, el delicado peinado algo torcido, la onda encabritada y el adorno de flor blanca colgando sobre una oreja. Mira con desconcierto y maravilla el bolso que cuelga de su mano izquierda. Si no tuviera cosas más importantes que hacer, lo besaría con devoción.

El balcón está abierto. Entra en casa del vecino sin llamar ni anunciarse.

ANTONIO HA CONTEMPLADO boquiabierto cómo su esposa pataleaba hacia el cielo y era engullida por el balcón y, enseguida, ha visto cómo se ponía en pie aturdida, entraba en el sexto segunda y desaparecía de su vista en un visto y no visto sin un gesto de despedida. Como si no fueran a verse nunca más.

No puede permitirle que escape. Instintivamente, corre a la puerta de su casa, olvidando que el motivo de tanta demencia es que han sido encerrados, y en el recibidor da media vuelta y regresa a la terraza mientras se repite obsesivamente que tiene que seguir a Dolores, tiene que perseguirla y atraparla y hacerla entrar en razón antes de que continúe poniendo en peligro su vida. Y para ello no se le ocurre otra cosa que cometer el mismo disparate que ella.

Y tragándose un suspiro y una buena dosis de saliva, se arma de valor, toma carrerilla, pasa la pierna por encima de la baranda y, procurando no mirar abajo («Sobre todo no mires abajo, Antonio»), se descuelga despacito, despacito, con muchísimo cuidado, hasta posar sus pies en la cornisa. Si Dolores ha podido hacerlo, él también podrá.

Y tenemos a Antonio Gris, tan prudente, tan mesurado y poco dado a ponerse en ridículo, posando los dedos allí donde le ha parecido que los ponía su mujer y avanzando centímetro a centímetro sobre el abismo, como le ha visto hacer a ella.

–Tengo que atraparla –se dice–. Tengo que atraparla. Por amor.

El vecino se ha horrorizado ante la irrupción de un cuerpo extraño en su balcón. Estaba tan tranquilo, con una pequeña máscara antigás y unas gafas de submarinista que dan protección integral a su nariz y sus ojos, acabando de dar una capa de barniz al parqué, cuando le ha sorprendido aquella mujer que daba volteretas en la reducida superficie de su balcón.

Ha sido incapaz de reaccionar hasta que la mujer se ha puesto en pie, ha reparado en su presencia y ha soltado un chillido. Por lo visto, una de las primeras cosas que hace alguien que acaba de pasearse por una cornisa es tocarse la cara y la blusa blanca y la falda tubo, como para asegurarse de que todo está en su sitio. Como sus dedos han estado recorriendo una superficie cubierta de polvo negro, dejan en el cutis y la ropa unas huellas negras que la afean notablemente, y eso da lugar a que el vecino replique con un chillido de tono y volumen similares. Dolores no puede entender por qué el vecino anda por casa con gafas de submarinista y máscara antigás. El barniz es sumamente irritante para los ojos y vías respiratorias y justifica su disfraz, pero ¿qué excusa puede aducir la señora de al lado, siempre tan prudente y comedida?

Ninguna. Sin decir esta boca es mía, Dolores se mete en piso ajeno a la carrera, resbala en el barniz aún fresco, cae sentada y se desliza alegremente sobre el líquido elemento hasta los pies del vecino, que ahora prolonga el chillido al ver arruinado su trabajo. Dolores se pone en pie con movimientos torpes y grotescos porque el piso resbaladizo insiste en derribarla y, sin decir nada interesante, echa a correr pasillo allá hasta la puerta que da al rellano y se lanza escaleras abajo, descalza, tiznado el rostro, manchada la ropa, ennegrecidos los dedos y las plantas de los pies, despeinada y sudorosa en busca de la libertad de la acera.

Sale a la calle. Son las siete y cuarenta (cuarenta minutos de retraso sobre el horario previsto) y el taxi ya no está. De todas formas, no le serviría de nada porque la vía pública está abarrotada de automóviles, tan llena que no cabría ni uno más, y todos están parados. Típico atasco urbano de las siete y cuarenta de la tarde. Sacudida por la premura, torturada por cada segundo que pasa, no puede entretenerse ni dudar. Con un coche nunca llegaría a tiempo a ninguna parte. Y los helicópteros y los cruceros no esperan.

Con la lucidez del náufrago que alarga la mano al azar y encuentra la tabla salvadora, Dolores ve una moto y un motorista y adivina de inmediato que esa es la solución de su problema. Las motos no tienen barreras. Es lo que suelen decir los motoristas para justificar su afición. En cualquier atasco, estos vehículos de dos ruedas pueden zigzaguear entre los coches con gracilidad de bailarinas, se escabullen por aquí y por allá, y siempre consiguen colocarse los primeros en la línea de los semáforos. Ante sus ojos, en el borde de la acera, un joven de cabello negro y cazadora roja y verde está a punto de montar en una poderosa BMW de brillantes cromados. Dolores se descuelga el bolso del hombro, saca el billetero y, del billetero, un par de billetes de cincuenta euros. Los enarbola como una bandera y toma al asalto moto y motorista.

–¡Cien euros para ti si me llevas al helipuerto de San Adolfo en media hora!

Misión imposible. Hasta el helipuerto de San Adolfo hay, como mínimo, hora y media. El joven de cabellos negros y dientes refulgentes, fuerte, descarado y guapo, la contempla con prolongado parpadeo y dice:

–¿Tiene usted mucha prisa?

–¡Muchísima!

–Entonces, serán quinientos euros.

–¿En media hora?

–Cuarenta y cinco minutos.

–¡Hecho! –grita ella.

Con decisión y ojos de loca, Dolores se arremanga la falda estrecha ante los ojos curiosos del joven, porque no está dispuesta a jugarse de nuevo la vida por una cuestión de recato, y se sienta a horcajadas en la grupa de la moto.

–Por adelantado.

–¡Hecho! –repite Dolores al mismo tiempo que busca en el interior del bolso.

Tiene la billetera en la mano y está a punto de extraer más dinero de ella cuando el joven de cabello negro y cazadora verdirroja salta al sillín, da gas y salen disparados.

Dolores está a punto de caer de espaldas. Con la violencia del despegue, queda flotando en el aire la flor blanca que decoraba su pelo, y la delicada onda ya se ha convertido en caricatura de tsunami, una especie de diadema de espanto sobre su frente. Cuando vuelve en sí del momentáneo vahído, ya van disparados entre los coches. Vuelve a colgarse el bolso del hombro y se abraza a la cintura del joven musculoso mientras piensa que quinientos euros hacen milagros y que conseguirá alcanzar su objetivo con apenas unos pocos minutos de retraso.

El vecino del sexto segunda se ha encontrado con un problema muy enojoso. Ha tenido que ponerse unos peúcos protectores de zapatos para pisar de nuevo la superficie de parqué barnizada y así acercarse a la zona donde los pies y las posaderas de su vecina han dejado una huella espantosa y corregir el desaguisado. Con la brocha más gruesa va dando pinceladas, creando capas reparadoras mientras retrocede lentamente, más o menos complacido con el nuevo aspecto de su piso, cuando en su balcón florece otra persona y le pega otro susto de infarto.

–¡Ah! –grita, porque no está acostumbrado a que haya un tráfico tan nutrido en su balcón y porque intuye lo que va a pasar a continuación–. ¡No! ¡Espere!

Pero Antonio Gris no ha recorrido una cornisa a centenares de metros de altura para quedarse esperando pacientemente en el balcón, y se lanza en persecución de su cónyuge siguiendo sus pasos exactamente. O sea, que él también resbala, cae de culo y patina por la superficie recién barnizada, como si fuera un tobogán, hasta tropezar con el barnizador de las gafas de submarinista y la máscara antigás.

En esta ocasión, al vecino le da una especie de ataque y se pone a berrear y a patalear, y trata de agarrar al invasor por el cuello con la evidente intención de asesinarlo. No obstante, como lo ciega la rabia, en lugar de ceñir sus dedos al cuello de Antonio, intenta estrangularle la frente, lo que favorece que el intruso pueda desprenderse de él con un simple empellón y, dejando al artesano patas arriba sobre su obra pictórica, continúa la persecución de su esposa por el pasillo hasta la puerta que da al rellano y escaleras abajo hasta la calle, donde Dolores acaba de desaparecer montada en una poderosa y rauda BMW.

Hay un atasco inmenso y la casa de los Vidal no está tan lejos, de manera que Antonio decide llegar hasta allí a pie para pedir auxilio. Algo le dice que tiene que impedir que Dolores continúe su viaje a Calatayud. Está convencido de que, si no lo evita, una apocalíptica desgracia caerá sobre él y sobre su familia. Por eso, mientras corre por la acera dando largas zancadas, va repitiendo entre dientes, como una letanía: «Que no vaya a Calatayud, que no vaya a Calatayud», detalle que resulta de lo más intrigante para los otros transeúntes que lo oyen.

14

−¿Tienes un móvil? −grita Dolores al oído del motorista que la lleva.

−¡Cincuenta euros! −responde el joven de cabellos negros.

−¡Hecho! ¡Quinientos cincuenta para ti! ¡Pásamelo en el próximo semáforo!

No hay próximo semáforo porque el muchacho no es partidario de respetar la luz roja.

En cambio, es capaz de avanzar vertiginosamente entre una marea de automóviles conduciendo con una mano mientras mete la otra en el bolsillo, saca un aparato telefónico de última generación y se lo entrega a su pasajera.

Dolores, con el corazón en la garganta, marca el número de los Vidal.

Se pone Berta, simpática y cantarina.

−¡Dígame!

−¡Berta! ¡Soy Dolores! ¡Alerta roja!

−¿Alerta roja?

−¡Alerta roja! Es muy difícil de explicar, pero Antonio está encerrado en casa, incomunicado del todo...

−¿Pero qué estás diciendo?

–¡Para que salga y pueda asistir a su fiesta, tendréis que avisar a un cerrajero!

–¿Pero qué estás diciendo?

–¡Deja ya de preguntar qué estoy diciendo! No te lo puedo contar con detalle. ¡Envía un cerrajero a mi casa y que libere a Antonio! ¿Has entendido eso?

–¡Sí, lo he entendido!

–¿Tienes a Paula ahí?

–¡Sí!

–¿Está bien?

–¡Sí!

–¡Pues haz lo que te he dicho!

Dolores corta la comunicación bruscamente. Al otro lado, Berta se queda perpleja contemplando el auricular de su teléfono. El corazón ha empezado a latirle con fuerza. Sucede algo raro. Un imprevisto. Algo muy raro. Dolores no suele hablar así. Tiene la intuición de que la fiesta sorpresa de Antonio corre peligro de naufragar. No sabe si salir corriendo para transmitirle la noticia a su marido gritando como una histérica, o llamar antes al cerrajero.

Telefonea al cerrajero.

FANTÁSTICA MOTO SUPERSÓNICA que funciona con gasolina y euros y vuela entre los vehículos detenidos o lentos, que si hace falta se sube a la acera y, un poco más allá, es capaz de saltarse un semáforo en rojo.

A Dolores le parece excesivo. Una cosa es ir deprisa y otra jugarse la vida propia y la ajena. Y mientras se hace estas reflexiones morales, llegan a ella las sirenas que cortan la atmósfera contaminada de la ciudad. Sirenas y luces azules tan insistentes que parece que las llevan pegadas a la espalda.

–Esos coches de la policía –pregunta tímidamente al oído del centauro que la lleva–, ¿puede ser que nos vengan siguiendo a nosotros?

–¡Sí, señora! –le confirma el muchacho de los cabellos negros.

–Claro... –ella ya lo sospechaba–. ¿Porque no llevamos casco?

–No, señora. No es solo eso.

–¿Vamos demasiado de prisa?

–No es solo eso.

–¿Nos hemos saltado un semáforo?

–No es solo eso.

–¿Pues qué es?

–¡Que he robado la moto!

Justo antes de que el muchacho de los cabellos negros saltara a la moto, pusiera primera y diera gas con brusquedad, Dolores no se ha fijado en el señor que salía de un bar cercano y gritaba: «¡Al ladrón!». Y no puede saber que en las cercanías había un coche patrulla de la policía, de los llamados zeta, cuyos ocupantes han asistido al incidente con ojos justicieros. Y como no podían lanzarse en persecución de los malhechores por culpa del monumental atasco, han hablado por radio para prevenir del delito a sus colegas de los alrededores, que eran muchos y todos se han tomado con sumo interés la llamada de socorro. Enseguida han localizado al motorista enloquecido y a su acompañante, han conectado las sirenas y las luces azules intermitentes y aquí vienen lanzados como ovnis. Si la BMW no tiene fronteras porque pasa entre los coches como una serpiente entre rocas, los coches policiales pueden seguirla porque el resto de los automóviles se apretujan y les dejan paso con el mayor respeto.

A LAS OCHO DE LA TARDE se ha puesto el sol y está oscureciendo ya cuando los invitados más puntuales van llegando a casa de los Vidal. Los Castaño, redondos y felices los dos como globos de fiesta infantil; los Garmendia, encorvados y risueños, como si los doblasen las carcajadas mientras preparan una jugarreta; los Bravo, tan seguros de sí mismos, tan satisfechos de ser como son, con el «yo» siempre por delante. La luz de los farolillos de papel ha adquirido un tono más amarillento e íntimo desde el ocaso y los acoge y arropa en torno a las mesas cubiertas de canapés, bocadillos y bebidas con la promesa de una fiesta modesta, apacible y sosa. Nada permite prever estallidos de luz y sonido espectaculares, ni rutilantes actuaciones estelares, ni números de Hollywood, ni confeti, ni serpentinas. Todos los que ahora se reúnen con los Vidal saben lo que se prepara dentro de una hora, pero están dispuestos a disimular fingiendo que ya les parece bien esta fiesta sin sustancia ni secretos. Sonríen cómplices mientras se estrechan las manos, henchidos por el cariño que les despierta el bueno de Antonio Gris.

–Mirad, ahí está –anuncia alguien con cuchicheo conspirador.

Sí, ahí está. Y les sorprende que venga sin chaqueta ni corbata, con una camisa que parece sucia, despeinado y muy agitado. Como si acabara de salir maltrecho de un accidente de tráfico. Bueno, hay gente que acusa muy mal los cumpleaños y el paso del tiempo.

–¿Qué tal, Antonio?

–¡Qué buen aspecto tienes, Antonio!

–Por ti no pasan los años.

–¡Por muchos años!

Paula y Alicia están jugando en el piso de arriba, tan confiadas, cuando a través del ventanal perciben el revuelo de abajo («Felicidades, Antonio, tú siempre tan joven») y asisten sobrecogidas a la llegada triunfal del señor Gris.

–¡Mi padre! –exclama Paula.

Se agachan para que no las vean.

–¿Pero no dijiste que estaban encerrados?

–No sé cómo puede haber salido.

–¿Cómo puede haber salido?

–Te acabo de decir que no sé cómo puede haber salido.

–Los padres siempre pueden hacerlo todo –se queja Alicia con fastidio–. Son capaces de cualquier cosa. Son como superhéroes. Qué rabia.

Paula agarra su mochila y repta hacia el interior de la casa.

–Vámonos de aquí –dice, y como en las películas–: Esto se pone feo.

–... Tú siempre igual, Antonio.

–... Tan dinámico...

–... Tan deportivo...

–... Tan en mangas de camisa...

–... Tan despeinado...

Llegan Berta y Joaquín.

–Hola, Antonio. ¿Adónde vas con esas pintas?

Antonio se dirige a ellos como un moribundo se dirigiría al portador del elixir de la vida eterna.

–¿Está Paula por aquí?

–Sí. Está por ahí, jugando con Alicia.

–¡Quiero verla!

–¿Pero qué pasa?

Antonio Gris no está dispuesto a contar delante de todos lo que le ha hecho su hija. Bien conocidas son su timidez y su discreción. Solo a sus amigos Joaquín y Berta, en todo caso, en un aparte.

–Nada, nada. Que quiero verla.

Pero los Vidal no quieren que Antonio vea a su hija. Temen que el menor inconveniente les desbarate la fiesta y el regalo carísimo que han preparado. Nunca se sabe lo que pueden saber, decir o hacer los niños, sobre todo cuando se supone que no están al corriente de lo que pasa. Se llevan a su amigo al interior de la casa, lejos de la muchedumbre que frunce el ceño extrañada, y cuchichean.

–¿Cómo vienes con estas pintas? ¿Quieres pasar por el cuarto de baño?

–Sí, necesito asearme un poco –y ya en confianza–: Paula nos ha encerrado en casa, a Dolores y a mí.

–¿Que os ha encerrado? –ellos ya lo saben porque se lo ha dicho Dolores en su llamada de alerta. Han enviado al cerrajero que debe de haberle liberado.

–Con doble llave. Y ha cortado los cables de los teléfonos.

–¿Qué?

–Y se ha llevado los móviles. Estábamos incomunicados. Así que Dolores se ha puesto a caminar por la cornisa de la fachada...

–¿Que Dolores ha hecho qué?

–¡Y yo he hecho lo mismo!

–¿Tú has hecho lo mismo?

–¡Claro! No había otra forma de salir de casa.

–¿A ti no te ha liberado un cerrajero?

–¡No! ¿Qué cerrajero? ¿Quién me iba a enviar un cerrajero?

–Ah, no sé. Alguien. Dolores.

–Nadie me ha enviado un cerrajero y he tenido que jugarme la vida. Pero, cuando he llegado a la calle, ella ya se había escapado, he perdido su pista. ¿Sabéis qué? ¡Me parece que no iba a Calatayud!

Joaquín y Berta se miran horrorizados. Está a punto de destaparse el pastel.

–¡Pues claro que ha ido a Calatayud! ¿Dónde quieres que haya ido, si no?

–¡Qué tontería! ¡Pues claro que sí! En estos momentos estará camino de Calatayud...

–¿Y por qué nos ha encerrado Paula?

–No tiene nada que ver una cosa con otra. Un niño puede encerrar a sus padres y, luego, la madre irse a Calatayud tranquilamente. No tiene nada que ver. No mezcles churras con merinas.

–¿Que no mezcle qué?

–Que son cosas de niños –aclara Joaquín, quitándole importancia al asunto–. Ahora se lo voy a preguntar y ya verás cómo hay una explicación satisfactoria...

–¿Tú crees?

–¡Claro que sí! Anda, tú date una ducha –dice su amigo con determinación–. Berta, dale una de mis camisas, una corbata, una chaqueta. Yo voy a hablar con las niñas.

–¡Buena idea! –aplaude Berta. Antonio empieza a subir las escaleras–. ¡Eh, ¿adónde vas?

–Al baño de arriba.

Para llegar al baño de arriba hay que pasar por el dormitorio de matrimonio. Ya conoce el camino.

–¡No! –lo detienen los dueños de la casa como si acabara de anunciar que tenía deseos de tirarse por el balcón; en el dormitorio se encuentra el equipaje de las dos familias–. Arriba no, porque el dormitorio está... Hay... Todo está desordenado, patas arriba, una catástrofe, estropeado el baño, goteras, escape...

–No, no, mejor la ducha de aquí abajo –Berta conduce a empellones a un Antonio desconcertado y lo mete en el cuarto de baño del piso inferior. No te muevas de aquí. Ahora te traeré la ropa.

–Yo voy a buscar a las niñas.

Joaquín Vidal va primero a la caseta del jardín donde suelen jugar las chicas. No las encuentra ahí. Después va a la salita del televisor. Nada, no hay nadie y el televisor está apagado. ¿En la cocina, tal vez?

En el cuarto de baño, Antonio se enfrenta al espejo. Está desolado y la imagen que ve lo hunde un poco más en la miseria. Vuelve a preguntarse qué debe de haberle ocurrido a Dolores, por qué habrá cometido aquel acto salvaje y demencial, dónde habrá ido realmente. Continúa convencido de que Calatayud no era su destino.

¿Y su hija? ¿Por qué los ha encerrado?

¿Y qué relación hay entre el comportamiento de una y el de otra?

15

La BMW va por la autopista, ya fuera de la ciudad, camino del helipuerto de San Adolfo. Los vehículos de cuatro ruedas avanzan lentos como una procesión de Semana Santa, y la moto es una exhalación, un visto y no visto entre ellos. Ofuscada por la histeria, Dolores va gritando y parloteando en un tono de voz muy agudo y deprisa deprisa, como quien ensaya un trabalenguas, a la misma velocidad que la máquina que la transporta entre coches y camiones.

–¡Huy, qué deprisa, qué bien, qué barbaridad, me estoy despeinando, socorro, auxilio, la policía, es usted muy atrevido, que valiente, qué osado, qué imprudente, qué bestia, qué miedo más enorme, qué deprisa vamos...!

El joven de cabello negro se lo toma como un cumplido y se vuelve hacia ella para mostrarle su sonrisa, que brilla como una joya.

–Gracias –le dice.

No es aconsejable desviar la mirada del frente mientras uno conduce a tanta velocidad y en medio de un tránsito tan nutrido. La moto va lanzada como una flecha contra un camión que está ahí delante, y la inminencia del choque mortal corta en seco la palabrería de Dolores, que se queda con la boca y los ojos muy abiertos, muda de espanto, mientras el irracional conductor devuelve la mirada a su sitio y, con un quiebro que parece sencillísimo, esquiva el obstáculo y continúa corriendo por la autopista como si nada.

Dolores ya no dirá nada más durante mucho rato. Muda. Muda mudísima. En todo caso, susurra una oración muy sentida y llena de súplicas, promesas y «porfavores».

La policía y sus espectaculares señas de identidad consiguen mantener la distancia, incluso ganando terreno gracias a que circulan por el arcén. Hasta que se estrecha la vía en detrimento de ese arcén y los agentes de la ley se ven obligados a frenar y hacerse un hueco entre el bloque de automóviles que repta penosamente por el asfalto, y vuelven a ver cómo la BMW se pierde en lontananza.

EN EL CUARTO DE BAÑO, a pesar de la ducha reparadora, Antonio Gris continúa siendo un hombre aplastado por los acontecimientos. Berta le ha traído una camisa, una chaqueta y una corbata de Joaquín, y ahora termina de ponérselas sin la menor coquetería. Está más atento a la conversación que mantiene con Berta que a su propia imagen.

–Esas ansias por irse a Calatayud tampoco son normales...

–Calatayud es una ciudad muy bonita. Con la Real Colegiata del Santo Sepulcro, y sus excavaciones de Bílbilis, y la parroquia de San Juan del Real, tan hermosa... Y además está lo del congreso de traductores...

–Que no, que no, que ahí hay algo raro.

–No pasa nada raro, Antonio. Tranquilízate.

–¿No pasa nada raro y Dolores se juega la vida paseando por la cornisa para ir a Calatayud? ¿No te parece raro eso?

–Tú también has pasado por la cornisa. No debe de ser tan difícil pasar esa cornisa.

–¡Es dificilísima de pasar! ¡Es una locura! ¡Podríamos estar muertos!

–Pero tú también lo has hecho. No has esperado al cerrajero.

–Lo he hecho por ella, por Dolores, porque me ha parecido que la estaba perdiendo...

–¿Pero qué dices? ¡Ja, ja! ¡Perdiendo!

–Y además, ¿de qué cerrajero hablas?

–De uno.

–Quiero ver a Paula, quiero hablar con ella, ella tiene que saber algo.

–Qué va a saber.

–¡Al menos, sabrá por qué nos ha encerrado!

–Bah, cosas de niños. Ya sabes cómo son. Pintarrajean las paredes, detestan la verdura, encierran a la gente... Ahora vendrá con Joaquín, ya verás.

EXISTE LA COMUNICACIÓN POR RADIO y la policía es muy aficionada a esos adelantos técnicos. Y el brazo de la ley es muy largo porque sus efectivos humanos son casi infinitos y ya se están movilizando otras patrullas que esperaban acción unos kilómetros más allá. Justo en el punto donde la moto abandona la autopista para tomar la estrecha carretera comarcal que recorre zonas rurales más despejadas.

Ahí va la moto. Inconfundible. Sus ocupantes sin casco, velocidad excesiva, marca BMW y la matrícula que les han dictado. A por ellos.

Solo que esta vez los policías, muy astutos, no conectan la sirena ni encienden las luces. Solo los agentes que han visto demasiadas películas persiguen a los malos anunciando su llegada a bombo y platillo. Eso solo sirve para que los malos pisen el acelerador y compliquen las cosas de forma innecesaria. En cambio, el patrullero avezado, con discreción y velocidad, consigue acercarse al fugitivo sin que este se percate y, en el momento en que el alarido le perfora el oído y las luces azules ciegan sus ojos, ya es demasiado tarde.

Eso es lo que sucede en este caso: cuando el joven insolente de cabello negro quiere darse cuenta, un coche zeta le cierra el paso por delante y otro le corta la retirada. Termina la carrera con un sonoro frenazo. Cuatro policías de uniforme se apean y se acercan a los infractores fingiendo que vienen cargados de paciencia.

–¡Las manos en la cabeza, chicos! ¡Los dos!

ANTONIO GRIS HA SALIDO del cuarto de baño. Ahora parece más despejado y optimista que cuando llegó, como el homenajeado en su fiesta de cumpleaños.

Pregunta una vez más a Berta: «¿Dónde está Paula?», pero ella no le hace mucho caso y lo conduce hasta el jardín, donde los amigos vuelven a recibirle una vez más con palmadas, sonrisas y una copa de cava.

Durante su ausencia, todos los presentes han acordado no mostrarse muy simpáticos ni afectuosos con Antonio. Piensan que la sorpresa del helicóptero y triunfal llegada de Dolores será más sorpresa si sorprende a un Antonio aburrido. Sin la compañía de su querida esposa, pillado en una reunión tediosa, celebrará con mayor entusiasmo la apoteosis que le preparan. Por eso, mientras la mayoría opta por dejarlo solo y excluirlo de su tertulia, los Castaño lo han agarrado por banda para hablarle con profusión de detalles del trabajo de él, que es contable en una granja de pollos. Cuando llegan al porcentaje de huevos de dos yemas que llegan a contabilizarse al cabo del mes, Antonio ya está buscando una escapatoria para desaparecer de allí. Pero en segundo término esperan turno los Bravo para contarle la historia de su yo, mí, me, conmigo, nosotros, nosotras, nos. Y mío, mía, nuestro, nuestra.

Entretanto, Joaquín Vidal sube las escaleras. Recorre el pasillo, abre la puerta del dormitorio de Paula. Tampoco parece que estén ahí. Mira debajo de la cama, dentro del armario. Sale al balcón.

Las niñas, que estaban ocultas en el dormitorio paterno, han ido tras él y ahora, aprovechando su ojeada al exterior, se introducen en silencio debajo de la cama. Como ya ha mirado ahí, suponen que no volverá a mirar. Y suponen bien. Joaquín vuelve a entrar, atraviesa la estancia, sale, cierra la puerta y va a mirar en su propio dormitorio y en el cuarto de baño grande.

Tampoco.

En el helipuerto de San Adolfo, el piloto se impacienta. Son las ocho y cuarto y la señora que ha contratado los servicios de Sopetón ya debería estar aquí. El hombre, grandote y torpe, enfurruñado, da puntapiés al aire y rezonga:

–Me cachis en la mar.

Se llama Heliodoro, pero siempre le han llamado Helio y suele presentarse diciendo que es piloto de helicóptero, «como su nombre indica».

Es grueso y feo, tiene los cabellos largos y grasientos, va mal afeitado, no tiene la costumbre de ducharse, viste cazadora de cuero y unos pantalones vaqueros que, aplastados por su barrigón, parecen trapos arrugados en torno a sus piernas cortas. No es la imagen más decorativa de la empresa para la que trabaja, pero es el único piloto de helicóptero que han encontrado. La cara sonriente y atractiva de Sopetón es Lira, la joven azafata de uniforme impecable, tan bien maquillada y peinada, que se pasea por la pista con sus pasitos de muñeca mecánica y las manos tan delicadas a la altura de los hombros.

–No refunfuñes, Helio –dice–. Ya sabes que estas señoritingas siempre llegan tarde. Anda, vamos a jugar unas manitas de póquer.

Barajando los naipes, sentado frente a una mesa plegable, está Paloburro, el encargado del hangar donde se guarda el helicóptero, una especie de ogro de cabeza rapada y barba rala y alborotada, capaz de trasladar el aparato de un lado para otro con sus propias manos.

–Me cachis en la mar –gruñe Helio mientras se sienta a la mesa.

No puede soportar a la gente rica que contrata helicópteros para sus caprichos, pero él es piloto de helicópteros y se tiene que aguantar y soportarla como buenamente puede. Si dependiera de él, ahora mismo se iría a su casa y dejaría plantada a la millonaria esa que ya tendría que estar allí y no está.

–No me gusta el póquer a tres.

Lira se sienta a su lado.

–Vamos, Helio. No seas rezongón –dice pizpireta–. Lo que no sabes es perder.

–¿Yo, perder? ¿Cuándo he perdido yo?

Paloburro reparte las cartas.

–Me cachis en la mar.

EL JOVEN DEL CABELLO NEGRO se ha rendido enseguida y ha puesto las manos sobre la cabeza. Dolores, no. Dolores protesta:

–¡Por favor, por favor! ¡Tenemos mucha prisa! ¡Es una emergencia!

Tiene un montón de billetes de cincuenta euros en la mano.

–¿Qué intenta decirme con eso? –pregunta uno de los policías, escandalizado.

Sin duda interpreta que Dolores está tratando de sobornarlos.

–¡Nada, nada!

Dolores se cruza violentamente de brazos para ocultar los billetes.

–¡Bájense de la moto inmediatamente! –grita el agente que parece más enfadado.

El joven del cabello negro y la cazadora verdirroja demuestra ser muy obediente. Se apea de la máquina robada y vuelve a poner las manos sobre su mata de pelo.

Dolores no puede hacerlo.

–¡Usted también, señora! –ruge el policía airado.

–No puedo.

No puede. No sabe de qué estaba hecho el producto con que el vecino barnizaba su parqué, pero ha resultado ser un pegamento definitivo que ha adherido la falda al asiento de manera definitiva.

–¡Que se baje de ahí!

–No puedo.

–¡Que se baje!

El policía, furioso, da un paso amenazador hacia ella y Dolores, instintiva y precipitadamente, salta de la moto y se le hiela el corazón al oír el funesto ziiip que hace la ropa al descoserse o rasgarse. En el mismo instante en que pisa el suelo, la falda tubo se afloja y amenaza con caer a sus pies. La retiene justo a tiempo con manotazo fulgurante y se ruboriza, consciente de que va a entrar en la situación más embarazosa de su vida.

–¡Las manos a la cabeza! –continúa rugiendo el poli malo.

Dolores obedece y, a tientas, comprueba entonces con un estremecimiento que ya no queda rastro de la onda ni de la flor decorativa y que sus cabellos han saltado en todas direcciones anudándose, trenzándose y erizándose hasta componer un esculpido muy similar a un estropajo. Al mismo tiempo, la falda se desploma para quedar arrugada alrededor de los tobillos y ella enrojece de vergüenza y suelta ya el llanto desconsolado que hace rato que pugnaba por salir. Entonces, el poli malo se arrepiente de su brusquedad y se convierte en poli bueno y avanza en su socorro. Sin parar de llorar, Dolores malinterpreta el gesto y da unos cuantos pasos de baile involuntarios antes de comprender que el agente solo pretende ayudarla y consolarla.

–¡No trato de sobornarle! –aúlla entonces al descubrir que los billetes de cincuenta euros continúan en el interior de su puño–. Este dinero es para él...

Mete el dinero en el bolsillo de la cazadora del joven ladrón.

–¿Lo ha contratado para que la trajera?

–Sí...

–¿Saltándose todas las normas de tráfico? ¿En una moto robada?

–La señora no sabía que era una moto robada –interviene entonces el joven insolente con gran serenidad–. La he engañado. Ella tenía mucha prisa porque tiene que resolver un negocio de vital importancia y yo me he aprovechado de ello para pedirle un dinero. Pero el que ha robado, el que ha conducido por encima del límite de velocidad y el que ha impedido que se pusiera casco, he sido yo –miente–. Ella no cesaba de rogarme que redujera la velocidad y me suplicaba que le prestara el casco reglamentario, y no le he hecho caso. Ella es inocente.

A Dolores se le pone un nudo de gratitud en la garganta. Se echaría a llorar si no estuviera llorando ya.

Los agentes la miran con otros ojos, casi con respeto a pesar de lo que ven. Ella aprovecha el silencio para ponerlos al corriente de la situación. La fiesta sorpresa para el aniversario de su marido, el helicóptero que espera, la fiesta que espera, el crucero que espera. Todo depende de ella. Termina dando saltitos como si se hiciera pis, retorciéndose las manos, las lágrimas destrozándole el maquillaje.

–Pooor favoooor.

Los policías se miran, la miran y se compadecen. Ya tienen a un ladrón confeso, o sea que hoy ya se han ganado el jornal. Ahora ya solo les falta realizar una obra de misericordia para que sea un día completo.

–¿Dice que la está esperando un helicóptero en el helipuerto de San Adolfo?

–¡Sí!

–Bueno, iremos a comprobarlo. Suba en este coche –el policía se vuelve a sus compañeros–: Vosotros llevad a ese a comisaría.

Es tarde, pero Dolores no puede irse así, de cualquier manera. Se sube la falda a la cintura y, mientras la mantiene ahí con una mano, avanza hasta el muchacho del pelo negro, le da un beso en la mejilla y le sonríe. Murmura:

–Gracias.

Él le dice:

–Señora, tiene usted unas piernas muy bonitas.

Ella lamenta que le estén esposando las manos a la espalda, pero a los ladrones siempre termina por sucederles algo parecido. Son las reglas del juego.

–Adiós.

–Adiós.

El joven de pelo negro y cazadora verdirroja frunce la boca y mueve la cabeza con la resignación del perdedor.

132

Dolores monta en la parte de atrás del coche patrulla. Dos agentes ocupan los asientos de delante.

Se ponen en camino.

–¿Me pueden decir qué hora es?

–Las ocho y media.

Lleva quince minutos de retraso sobre el horario previsto.

–Oh, vaya. ¿Podrían conectar la sirena? ¿Y encender esas luces tan bonitas, azules, de cuando tienen prisa?

Los policías se miran, condescendientes. Caprichos del contribuyente. En realidad, no hace falta todo ese alarde porque en la carretera no hay nadie a quien advertir de su llegada, pero no cuesta nada hacerla feliz, pobre mujer. Bastante ha sufrido ya. Y después de unos minutos de sirena ensordecedora y parpadeos azules, ella añade un grito desesperado:

–¿Y podrían ir a toda velocidad, por favor? ¡Estoy llegando MUY tarde!

16

Entretanto, el cerrajero ha llegado a la puerta del piso de los señores Gris. Llama al timbre con la intención de hablar con don Antonio Gris a través de la puerta y anunciarle que por fin va a sacarlo de allí.

Ring.

El cerrajero aguarda con una sonrisa en su rostro apacible. Ya se imagina el efusivo agradecimiento de aquel pobre desdichado que tal vez esté siendo víctima de un ataque de claustrofobia.

No responde nadie.

Ring.

El cerrajero insiste. No puede abrir una puerta ajena sin que el dueño de la casa le dé permiso para ello.

Ring.

A menos que al dueño de la casa le haya dado un patatús y yazca en el suelo, entre vomitos, a punto de morir.

Ring.

—¿Señor Gris? —se atreve a preguntar el cerrajero a través de la puerta.

Joaquín va y viene desconcertado por toda la casa.

–¿Dónde están las niñas?

Ya no sabe dónde mirar. La buhardilla, el tejadillo, el sótano, la carbonera, la caseta del perro donde nunca ha vivido ningún perro. Empieza a estar asustado. Las niñas no están en ninguna parte. ¿Dónde se han metido?

Y su reloj de pulsera le dice que son las ocho y cuarenta y cinco. El helicóptero debería estar aterrizando en su jardín en este preciso instante.

No es consciente de que las niñas le están observando desde arriba, como comanches en lo alto de la colina.

Un coche zeta de la policía llega al helipuerto de San Adolfo, con sirena y luces azules, a las ocho cincuenta y cinco (cuarenta minutos de retraso sobre el horario previsto), interrumpiendo la partida de póquer que tiene absortos al piloto Helio, a la azafata Lira y al rapado Paloburro.

Helio levanta la vista y, al ver que llega la pasma con toda la parafernalia de urgencia, exclama:

–¡Me cachis en la mar!

Del automóvil recién llegado bajan dos agentes uniformados y una especie de pordiosera. El piloto y el resto de personal de la empresa Sopetón les salen al paso dispuestos a declarar que ellos son inocentes de todo.

–¿Es verdad que esta señora ha alquilado su helicóptero para que la trasladen a un punto de la ciudad? –interroga el policía más locuaz.

–¿Esta señora? –exclama Helio–. ¡Claro que no!

En la fiesta de cumpleaños, Berta ha puesto una música lamentable para no subirle mucho el ánimo a su amigo. Todo está calculado para que Antonio experimente un principio de angustia y necesite con urgencia un helicóptero salvador.

Joaquín Vidal, cansado de buscar infructuosamente a las niñas, sale al jardín, donde un buen número de personas hacen un esfuerzo por no pasarlo lo mejor posible. Se acerca a su esposa Berta y, con sonrisa desvaída, le dice:

–Son las nueve. Ya tendrían que estar aquí.

–¿Y las niñas?

–No las encuentro. Ya tendrían que estar aquí.

–Siempre hay que contar con un pequeño retraso.

–El crucero sale a las diez.

Está expresando un sentimiento de inquietud generalizado. Todo el mundo está haciendo gestos de fastidio porque en el cielo no hay el menor atisbo de ovnis.

Berta mira el reloj. Joaquín mira el reloj. Los dos sienten que una mano de piedra les estruja el corazón.

¿Y si Dolores ha tenido un accidente?

Joaquín empuña su teléfono móvil. Sin pensar, llevado por su ansiedad, marca el número de Dolores.

Suena un móvil dentro de la casa. El minueto de Boccherini.

Efectivamente, dentro de la mochila de Paula. El minueto de Boccherini a todo volumen, y las dos niñas se han pegado un susto de muerte. Paula quiere detener aquel ruido infernal, pero se le traba la cremallera de la mochila...

... Y Joaquín Vidal ha entendido de inmediato lo que sucede. ¡Antonio ha dicho que su hija les había quitado los móviles! Sale corriendo hacia el interior de la casa.

Y el minueto de Boccherini suena y suena, y ahora Paula está hurgando dentro de su mochila y no da con él. «Este no, que es el de papá; esto no, que son los pañuelos...».

Joaquín, a la carrera, localiza que la melodía proviene del pasillo de arriba. Sube las escaleras de dos en dos y, en lo alto, entiende que Boccherini está interpretando su minueto al fondo del pasillo. Así es como el dueño de la casa da con el escondite de las niñas. Cómo no se le había ocurrido antes.

Es imposible que esta mujer de rostro tiznado, con un peinado de disparate semejante a una peluca de carnaval rescatada de la basura, las ropas sucias y en desorden, que tiene que sujetarse una especie de minifalda con las manos, haya podido alquilar jamás un helicóptero. Los empleados de Sopetón tienen que suponer que se trata de una broma. Pero ella ya ha sacado su documentación del bolso que cuelga de su hombro, y en su DNI y avalada por los policías parece mucho más respetable y de fiar que en persona. Y queda claro que es la señora que estaban esperando, para asombro de todos los presentes.

Los tres empleados de Sopetón permanecen inmóviles, estupefactos. La elegante y cursilona Lira es la primera en reaccionar. Se pone entre Dolores y la policía con sus pasitos de maniquí de grandes almacenes.

–Sopetón le da la bienvenida al vuelo que hará que todos sus sueños y expectativas se vuelvan realidad. Adelante, por favor. Comienza el espectáculo.

–Me cachis en la mar –dice Helio, el piloto atrabiliario–. Yo a esta no la llevo así a ninguna parte.

–Por favor –suplica la mujer–. Por favor.

–No le haga caso –comenta la azafata, con sonrisa imperturbable–. Adelante, por favor, que nos vamos. ¿No lleva equipaje?

–No, no llevo equipaje –confiesa ella como un pecado. Y añadiría: «Ni vestido azul brillante, escotado y ceñido, ni zapatos de tacón exclusivos, ni peinado de peluquería». Pero añade con su último aliento–: Vámonos.

Se vuelve hacia los policías, que le confirman que no hablarán de ella en el informe del robo de la BMW. Bastante pena tiene la pobre.

Monta en el helicóptero con una última y fugaz exhibición de sus piernas estupendas. Se acomoda en una de las butacas del interior. Lira a su lado. Paloburro los despide sacudiendo un pañuelo pringoso.

El piloto hace lo que tiene que hacer y los rotores se ponen en movimiento, lentamente al principio, enseguida tan deprisa que se desvanecen en el aire con un ruido atronador que aísla a los pasajeros del resto del mundo. Y ya flotan. En el instante siguiente, vuelan. Dejan abajo un mundo insignificante.

El aspecto de Dolores es tan deplorable que quienes la acompañan no se atreven ni siquiera a preguntarle qué le ha sucedido.

–Yo a esta no la llevo así a una fiesta –insiste Helio.

–Por favor, Helio –dice la azafata–. Que ya estamos llegando tarde.

Son las nueve y cuarto (una hora de retraso respecto al horario previsto).

Y el crucero sale a las diez.

–¡Que no, me cachis en la mar! ¡Que yo no la llevo así a la fiesta!

El aparato se ladea grácilmente y vuela en dirección contraria a la que debiera.

–¡Por favor! –se oye gimotear a Dolores.

JOAQUÍN LLEGA AL CUARTO DE PAULA cuando cesa la melodía, sustituida por el rumor de movimientos precipitados. Abre la puerta de golpe y llega a tiempo de intuir algo más allá de la puerta del armario.

La abre de un tirón y ahí están, Paula y Alicia, encogidas de miedo.

–¿Se puede saber qué estáis haciendo? –les suelta, tan indignado que no puede parar de hablar para escucharlas–. ¿A qué estáis jugando? Paula, ¿por qué has encerrado a tus padres en casa, has cortado los cables del teléfono y te has llevado sus móviles?

Paula responde muy compungida, consciente de que va a caer sobre ella un castigo tremendo:

–Porque no quiero que tú y mi mamá os vayáis de viaje.

–¿No? –se sorprende Joaquín–. ¿Por qué no?

Cada vez más triste, con boquita de pescado, gime la niña:

–¿Qué será de nosotras?

El hombre se agacha ante las dos niñas, compadecido de su angustia, para consolarlas.

–¿Qué quieres decir? ¡Vendréis con nosotros!

–¿Y mamá y el papá de Paula? –interviene Alicia, que también parece muy angustiada.

140

–¿Qué pasa con ellos?

–¡Que también se van de viaje! –lloran las dos niñas, con el llanto más sentido de los últimos tiempos.

–¡Pues claro! –exclama Joaquín con toda naturalidad, y estas dos palabras recrudecen la llantina.

–¡No queremos!

–¿No queréis ir de viaje?

–¡No! –dice Alicia–. ¡Por eso he tirado los billetes!

–Pero vamos a ver... –empieza su padre, tratando de encontrar alguna explicación al equívoco, y reacciona bruscamente a las últimas palabras–: ¿Que has tirado los billetes?

–¡Sí!

–¿Cómo que has tirado los billetes? ¿Dónde has tirado los billetes? –Joaquín de pronto está temblando y grita mucho.

–¡A la basura! –responde Alicia entre sollozos.

Joaquín Vidal se incorpora como si tuviera un potente resorte en las piernas y se lanza al exterior de la habitación y al pasillo, cuando unas palabras hipadas de su hija lo detienen:

–¡... Y la basura la he tirado al contenedor!

El padre se detiene, dice: «¡Oh, jolines!», o algo peor, da media vuelta como un títere mal manejado por un titiritero loco.

–¿A qué contenedor?

–A uno. Pero yo no quiero que te vayas.

–¡No me voy solo!

–No quiero que te vayas con la mamá de Paula.

–¡No nos vamos solos! ¡Vendréis con nosotros!

–¿Y el papá de Paula y mamá?

Ahora comienza a entender Joaquín lo que sucede.

–También se vienen con nosotros. ¡Nos vamos todos juntos de vacaciones en un crucero por el Mediterráneo!

Las niñas se convierten en estatuas. Muy quietas, las muecas de llanto clavadas en sus rostros. Grupo escultórico titulado *Lloronas*.

–¿Qué?

–¿Todos juntos?

–¡Todos juntos! ¡De vacaciones! ¿Pero qué os creíais?

–Creíamos que tú y...

–Creíamos que mi papá y...

Las dos:

–¡Oh, los billetes! ¡El contenedor!

Un minuto después, Joaquín, Paula y Alicia son como tres bólidos que salen de la casa a la velocidad de la luz, cruzan el jardín entre los invitados y las mesas de canapés tan deprisa que provocan grititos y saltitos a su paso, salen a la calle y desaparecen en dirección a los contenedores de basura que hay dos calles más allá.

Atrás ha quedado Berta en el gesto de consultar el reloj por enésima vez, y un Antonio aburridísimo y ansioso por regresar a su casa y averiguar dónde demonios estará Dolores. Porque en Calatayud seguro que no.

Hace una hora que el cerrajero se encuentra en el rellano de esta escalera, frente al piso de los Gris. Ring. Acaba de tocar el timbre una vez más. Ya ha revisado la cerradura y cree que sería capaz de abrirla sin estropearla, pero si lo hace sin el permiso del dueño, este podría denunciarle por allanamiento de morada.

Pero el hombre está preocupado. Le han dicho que el señor Gris está en el interior de la vivienda, y si no responde a su llamada, quizá sea porque está enfermo, o se ha desmayado, o algo así.

Claro que hay otra posible solución.

Ring.

Llama a la puerta de al lado y se pone su mejor sonrisa para pedir un favor. Acentúa su actitud amable cuando le abre un individuo estrafalario con gafas de submarinista y una máscara que le cubre la boca. Cosas más raras ha visto el cerrajero en su vida.

–Buenas tardes. Soy el cerrajero y tengo que entrar a la casa de al lado. Me pregunto si usted me permitiría llegar hasta su balcón para pasar al balcón del piso vecino...

–¿Pasar al balcón del piso vecino?

–Sí...

–¿Pasar al sexto primera?

–Sí, señor. Quizá por la cornisa...

–¿Por la cornisa?

El hombre de la máscara y las gafas de submarinista resulta ser el monstruo de película que parece. No hay duda de que se trata de un *serial killer*. Aúlla de manera compulsiva e insistente: «¡Por la cornisa, por la cornisa, por la cornisa!», al mismo tiempo que empuja al cerrajero escaleras abajo.

Mientras se golpea la cabeza contra la pared, el cerrajero piensa que esta sí que es la cosa más rara que le ha ocurrido en toda su vida.

17

Hay tres contenedores y, dentro de uno de ellos, un hombre de barbas canosas y ropa mugrienta, de los que duermen en la calle, está dedicado a la minuciosa tarea de elegir entre la basura aquello que más le gusta. Un circuito electrónico, una cajita de madera, una silla rota... Joaquín y las dos niñas entran en escena con el ímpetu de soldados al asalto de una posición. El hombre barbudo les echa una mirada distraída, pero enseguida decide que no son competidores.

–¿Dónde lo has tirado? –dice el padre de Alicia.

–En el de residuos orgánicos.

Joaquín frena tan en seco que se ve obligado a dar un traspié y una zancada para no caer de bruces.

–¿En el de residuos orgánicos? ¿No podrías haber elegido otro?

–Es que es el que da más asco.

Sin pensarlo dos veces, Joaquín Vidal salta ágilmente al interior del contenedor de residuos orgánicos para enzarzarse en una lucha a muerte contra la porquería.

–¡Es una bolsa azul! –advierte Alicia.

El hombre de las barbas canosas contempla el repugnante espectáculo con ojos perplejos primero y, luego, con manifiesta indignación. ¡Eran competidores, después de todo!

–¡Oiga, oiga, a ver qué hace! –protesta–. ¡Me está pisoteando la cena!

Joaquín descarta a manotazos las bolsas que no son azules y procede a destripar las de ese color como si tuviera un ataque de hidrofobia. Unas bolsas se rompen sin querer y las otras a propósito, y eso genera una marea pestilente de restos de pescado con sus espinas traidoras, salsas multicolores y pringosas, fideos que pasan a decorar su corbata, pieles de plátano o de naranja, pedazos de carne pegajosos, macarrones viscosos y materias indefinidas grasientas, además de otros productos que no deberían estar allí, como botellas de plástico o latas de conserva con tapas afiladas como cuchillas de afeitar.

–¡Puaj! –va haciendo Joaquín–. ¡Puaj!

A Paula y Alicia se les ponen muecas de asco. Incluso se le pone cara de asco al vagabundo, que ha salido de su contenedor y se acerca al vándalo de la materia orgánica para reivindicar sus derechos.

–¡Pues me va a tener que pagar la cena, porque comprenderá que ahora no voy a comer de ahí, después de que usted lo haya estado pisoteando y revolviendo todo!

A Joaquín Vidal le sobrevienen arcadas y convulsiones enfermizas. Pero no cesa de hurgar entre los desperdicios inmundos en busca de la bolsa azul.

Son las diez.

En este momento está zarpando el crucero *Monasterio de Piedra*.

Berta mira el reloj, cabecea y da un puntapié en el suelo. Todo está perdido. Se fastidió. Dolores ha desapa-

146

recido, Joaquín y las niñas han desaparecido, y Antonio, en el día que debía haber sido de los más felices de su vida, se ve más hundido y amargado que nunca.

Fracaso total. Dan hasta ganas de llorar.

Uno de los invitados se vuelve, distraído, y su vista queda prendida en lo alto. ¿Qué ve? Su esposa sigue la dirección de su mirada absorta y frunce los ojos. Una luz en la oscuridad de la noche. ¿Qué es eso? ¿Un ovni? ¿Un pájaro? ¿Un avión? ¿Superman? Todos los ojos se han vuelto ya, iluminados por la esperanza, hacia el mismo punto donde una especie de anuncio de neón está bajando del cielo. El único que no sabe de qué se trata es Antonio Gris, que mira a su alrededor distraído y, ligeramente sorprendido, eleva su atención hacia las estrellas como los demás. «Caramba, ¿qué es eso?».

Un tableteo enloquecedor satura el jardín, un viento artificial y huracanado envuelve a los invitados, los despeina y hace ondear sus ropas como si fueran banderas cautivas. Ya es evidente que se trata de un helicóptero con muchos focos deslumbrantes lo que desciende sobre la fiesta, y Antonio empieza a temer que se trate de un ataque terrorista, o el descenso de un comando de la CIA o algo por el estilo, cuando por el sistema de megafonía empieza a sonar la *Cabalgata de las valquirias* de Wagner, y esto ya empieza a parecerse demasiado a una escena de la película *Apocalypse Now*.

Desazonado, Antonio se dispone a sumarse al inevitable estallido de pánico, pero se encuentra con risas y miradas brillantes.

Y cuando devuelve la vista al fenómeno y se fija mejor, distingue a la mujer espectacular que se asoma fuera del helicóptero con un despampanante vestido rojo de lentejuelas, escotado, ceñido a su figura espléndida, visión divina como de diosa griega, tan inesperada como sobrenatural. Que, de pronto, resulta que es Dolores.

Antonio grita con voz estrangulada:

–¡Dolores!

¡Él sabía que no estaba en Calatayud! (Claro que no podía imaginar que era porque estaba colgada de un helicóptero. Desconocía esa pasión de su esposa por los números circenses). Pero ¿dónde se ha metido mientras él la esperaba desesperado?

La verdad es que Dolores ha sido abducida por el piloto Helio, que, me cachis en la mar, no podía conducir a una fiesta a una mujer en aquellas condiciones. Se la ha llevado directamente al barco *Monasterio de Piedra*. Ha hablado por radio con los responsables de atención al cliente, les ha comunicado que traía una emergencia, y todo estaba a punto cuando se han posado sobre la pista de cubierta. Una modista con el magnífico vestido rojo de lentejuelas, una maquilladora y una peluquera se han montado de un salto al aparato. En el trayecto desde el puerto a casa de los Vidal, las tres profesionales se han empleado a fondo sobre la maltrecha imagen de Dolores, como los pajaritos de Cenicienta. Una peinando, la otra limpiando y maquillando, la otra ajustándole el vestido a la medida. Han dejado a Dolores convertida en una especie de estrella de cine tres segundos antes de que el helicóptero tomara tierra en el jardín de la fiesta sorpresa.

Y ahí baja esa mujer maravillosa, y su marido perplejo y emocionado corre hacia ella, la mira, la admira, hay lágrimas en los ojos de ambos y él dice sin pensar:

–¿Calatayud?

Y se abrazan y se besan como novios adolescentes entre los aplausos de los amigos, los Castaño, los Garmendia, los Bravo y tantos y tantos otros, y suena una música que tiene el poder de levantar a todo el personal un palmo por encima del suelo.

Entretanto, Berta ya ha sacado, ella sola, el equipaje al jardín. Y el zafio piloto Helio ha bajado y ya lo está cargando en el helicóptero a toda prisa. «Vamos, vamos, vamos, que el barco se va».

¿Pero y las niñas? ¿Y Joaquín?

Las maletas ya están a bordo. Antonio recibe las explicaciones pertinentes. Esta es su fiesta sorpresa, y el regalo es el crucero, y eso lo explica todo.

–¡Vámonos, señores! –insiste el piloto.

–No, no, falta mi marido... –balbucea Berta desconsolada–. Y las niñas...

Ahí están. Joaquín, y Alicia, y Paula, que vienen a la carrera. Paula enseguida repara en la mujer del vestido rojo y centelleante, y la reconoce, y exclama maravillada, con los ojos brillantes:

–¡Mamá!

Corren al helicóptero. Montan en él. Joaquín el último, agitando los billetes por encima de su cabeza.

–¡Los billetes! ¡Los he encontrado!

Es el último en montar a bordo.

–¡Me cachis en la mar, qué pestazo! –comenta Helio, que tiene una opinión muy particular sobre lo que significan las palabras «diplomacia» y «urbanidad».

Los rotores del helicóptero vuelven a girar hasta desaparecer, con un estruendo más y más agudo, y ya están todos a bordo, sonrientes, felices, agitando la mano para despedirse de los amigos que quedan abajo levantando las copas.

Se aleja el ovni luminoso en dirección al puerto.

–Pero el crucero ya debe de haber salido –gime Berta, que continúa obsesionada con el horario y el cronómetro.

–No se preocupe, señora –gruñe Helio, el piloto–. Los atraparemos. Este pajarraco aún corre más que un trasatlántico.

Se internan en la negrura del mar nocturno. Enseguida divisan la luminaria de árbol de navidad del *Monasterio de Piedra*.

–¡Ahí los tenemos, me cachis en la mar! –grita Helio.

Y enfila en esa dirección.

18

P ERO NO QUIERO terminar aquí esta historia porque no me gustan nada los lectores que hacen trampas.

Sí, hay un tipo de lectores que, cuando se encuentran con un capítulo especialmente angustioso o intrigante, cuando la lectura consigue atraparlos y cortarles el aliento, y se preguntan con zozobra: «¿Qué va a ocurrir ahora?», como en ese capítulo en que Dolores corría contra reloj a su cita con el helicóptero («¿Llegará a tiempo?»), rompen el hechizo acudiendo directamente a leer el final y tranquilizándose al ver que las familias Gris y Vidal por fin llegan a tiempo a su crucero. Una vez aliviada su zozobra, entonces reemprenden la lectura (o no) mucho más relajados, liberados de la emoción del «qué pasará».

Esa clase de lectores destruye sin saberlo uno de los proyectos más valorados por el autor, que es el de emocionar, cautivar, intrigar y mantener el alma del lector en vilo tanto tiempo como crea necesario, como el artista de circo cuando sostiene una silla en equilibrio sobre la nariz. Acudir de golpe al final y truncar el suspense es equivalente a hacer caer la silla de la nariz del malabarista solo porque no puedes soportar tanta adrenalina suelta.

Para evitar que mis lectores incurran en ese error y arruinen mis pretensiones, haré que el libro termine con la frase: *Y Alicia Vidal decide dejar su anillo rojo donde está, porque tiene la seguridad de que su influjo mágico seguirá protegiéndola esté donde esté.* Así, el lector tramposo que abandone a Dolores paseando por la cornisa o cabalgando en la BMW para averiguar antes de tiempo si cumplirán el objetivo de la fiesta sorpresa o no, se encontrará con un enigma inesperado. ¿Un anillo rojo? ¿El influjo mágico?

Y a menos que se encarame por este capítulo arriba leyendo de atrás adelante en un ejercicio de perversión extrema, ese lector desaprensivo regresará a su punto de partida conservando las expectativas y la intriga intactas, si es que no corregidas y aumentadas.

Nos trasladamos quince años después de esta aventura. Es el día en que Alicia Vidal se va a casar. Está muy feliz y pensativa, quizá melancólica, tal vez un poco triste porque hoy dejará la casa de su infancia. Y se detiene ante aquella cómoda, en un lugar preferente de la casa, donde tienen expuesto su anillo rojo y dos mensajes de felicidad.

幸福は道です。 運命ではありません。

دادي سيلي ف

Sonríe, ahora ya incrédula, y se pregunta si se va a llevar esa especie de altar a su nueva casa. ¿Es suyo el talismán? ¿O es más de sus padres? A lo mejor es un dios lar, protector de toda la familia.

El recuerdo y la anécdota más preciados de aquel memorable crucero por el Mediterráneo.

Se ve transportada al día en que las familias Vidal y Gris desembarcaron en Alejandría, Egipto, y paseaban por el zoco de Al-Magharba como tantos turistas, sin rumbo ni intención concretos. Se detenían a fotografiar aquella tienda de ropas beduinas, o el tenderete de especias de intensos aromas y colores, o se interesaban por figuritas que reproducían en miniatura las esculturas y esfinges de la antigüedad, o bisutería sumamente elaborada, o simplemente las frutas y verduras que ofrecían unos egipcios vocingleros.

Alicia y Paula habían pedido a sus padres dinero para comprarse recuerdos y habían obtenido cinco dólares cada una, y correteaban entusiasmadas entre la multitud de turistas y autóctonos, prendidas con un reojo de sus padres protectores que, con otro reojo insistente, las mantenían bajo control.

Las niñas se sintieron atraídas irremisiblemente por un pequeño puesto que había en un rincón, donde un hombre que parecía asqueado de la vida, de ojos adormilados, nariz aguileña y boca torcida por el desprecio, vestido con un traje de confección que había sido negro y blanqueado por el tiempo y el polvo, vendía juegos de ingenio confeccionados con diversas clases de madera. También ofrecía tapices de vivos colores que formaban un telón de fondo muy pintoresco, y una colección de joyas de color rojo confeccionadas con coral.

A las niñas les gustaban los complicados rompecabezas de madera, pero el precio los ponía fuera de su alcance.

–¿Cuánto cuesta este? –preguntaban–. *So much?*

–*Fifteen* –respondía el hombre. O, a lo mejor, *fifty*, quince o cincuenta, daba igual, no se lo podían permitir.

–¿Y esto? –mucho, también–. ¿Y esto? –demasiado, excesivo, un montón, una fortuna, una pasta, no podían comprarlo.

Se diría que el hombre malcarado no quería venderles nada, como si opinara que los niños no tenían derecho a adquirir ninguna de sus joyas. Y a veces ocurre que basta que no puedas comprar algo en una tienda para que te empeñes en adquirirlo precisamente allí, como para demostrar que consigues lo que te propones, como si la renuncia resultara demasiado humillante. Y las niñas continuaban preguntando: «¿Y esto?», «¿Y esto?», «¿Y esto?», hasta que dieron con algo.

–¿Y esto?

–*Five dollars* –cinco dólares.

Se referían a unos anillos de color rojo intenso que se exponían bajo un letrero que decía *Coral rings*, anillos de coral. ¿Cinco dólares? Justo lo que las niñas querían oír.

–A mí me gusta –dijo Alicia–. Yo lo compro.

Y Paula estuvo de acuerdo:

–A mí también me gusta. Me lo compro.

Entregaron los billetes que llevaban arrugados en el puño, y ya habían cogido un anillo cualquiera de la colección para salir corriendo a mostrar la joya a sus padres, cuando el hombre despectivo las detuvo («*One moment!*») y les hizo notar que había anillos de diferentes tallas y ellas habían elegido unos que les iban a ir demasiado grandes. Después de un par de pruebas, las dos niñas se alejaron luciendo en sus dedos el distintivo rojo.

Entre los tapices multicolores que ponían telón de fondo al tenderete, surgió una voz que hablaba en árabe:

–Esos anillos no valen cinco dólares.

El hombre de aspecto despectivo replicó:

–Tendrían que haber regateado.

–Son niñas –el que hablaba medio oculto por el tapiz era un anciano encorvado, vestido con una chilaba de un rojo desvaído y un turbante negro, demasiado mayor para vender. Ya solo le quedaba mirar y juzgar–. No saben regatear.

–Sus padres deberían haberles enseñado.

Las niñas no tuvieron que alejarse mucho porque sus padres, durante la transacción comercial, se habían ido acercando al puesto para ver qué hacían. Alicia y Paula les salieron al paso para mostrarles los anillos de coral. Los dos vendedores del mercadillo pudieron observar, por las expresiones de los rostros y los gestos de contrariedad, que los señores Gris y Vidal no aprobaban aquella compra.

–¿Cinco dólares por esto?

–Os han engañado.

–Esto no cuesta cinco dólares.

–¡Pero si son de coral! –protestaban las chicas.

–No, hombre, no. Esto no es coral. Esto es pasta. Plástico.

–Vamos a devolverlos y que os devuelvan el dinero. Me van a oír. Engañar así a dos niñas...

–¡No, no! –saltaban las niñas, como asustadas. Si sus padres iban a reclamar, podían hacer enfadar al hombre de la actitud arisca y del traje que alguna vez fue negro. Y además se quedarían sin los anillos.

Las familias Gris y Vidal discutían con movimientos contenidos y dirigían miradas significativas hacia el tenderete. Tal vez se dejaron disuadir por el gesto cruel y desafiante del vendedor, que parecía dispuesto a lanzarse a la yugular de quien se atreviese a pedirle explicaciones. Cedieron, pues, a los ruegos de Paula y Alicia, aceptaron que en todo viaje hay un momento en que tienes que pagar peaje de turista, y se mezclaron con el gentío.

El hombre viejo de las barbas blancas, el turbante negro y la chilaba rojiza surgió de entre los tapices y llamó a un niño muy moreno que andaba merodeando por allí. Le ordenó en árabe:

–¡Síguelos!

El golfillo, sucio y mal vestido, echó a correr como un galgo pisando los talones de los turistas españoles, que continuaban extasiándose ante este o aquel detalle exótico y sacándose fotos.

Los siguió hasta un restaurante del puerto especializado en platos de pescado.

Y estaban los Vidal y los Gris comiendo y comentando todo lo que habían visto aquella mañana y lo que visitarían por la tarde, cuando un matrimonio de jóvenes japoneses pasó junto a su mesa. Estaban buscando una mesa libre, o quizá trataban de localizar a alguien conocido, y la mirada de la mujer se posó distraídamente sobre las manos de Alicia y Paula, que andaban enredando con el pan de pita («Qué raro es»). La japonesa se volvió hacia el japonés y le indicó los anillos de color rojo. Manifestaron su sorpresa de manera tan notable que atrajeron la atención de los seis comensales. El japonés, muy afable, preguntó si alguien de la mesa hablaba inglés. Tanto Joaquín como Dolores lo hablaban perfectamente. Entonces, el japonés les mostró que ellos también llevaban unos anillos rojos, como los de las niñas, y contó que en Japón únicamente los llevaban las personas que habían sido bendecidas por la suerte. «*Blessed by luke*», dijo exactamente.

De momento, los padres de las chicas no entendían. Pidieron aclaraciones. ¿Los japoneses se habían comprado los anillos allí, en Alejandría, en el zoco de Al-Magharba?

–¡No, no! –exclamaban ellos, con ese énfasis que se suele utilizar para expresarse mejor en un idioma que no es el tuyo. Ellos habían recibido los anillos en Japón, de manos de un monje sintoísta. Y explicó que quien usa esos anillos debe llevar siempre consigo un deseo de paz y esperanza. Y sacó de su bolsillo una cartulina plastificada donde se veían estos signos:

幸福は道です。 運命ではありません。

Y les dijo que se leen así:
–*Kofuku wa michi desu. Unmei dewa arimasen* –y que significan–: «La felicidad es un camino, no un destino». Si llevan esto con ellas, a estas niñas siempre las bendecirá la fortuna.

Antonio Gris quiso copiar los pictogramas, pero el japonés le dijo que no valía la pena y le regaló su cartulina plastificada.

–Nosotros tenemos otro –dijo mientras su joven esposa exhibía la cartulina que tenía consigo, ilustrada con idéntico mensaje–. Es suficiente. Y nos podemos hacer otra. Quédensela, por favor.

Cuando el joven matrimonio de los anillos rojos se hubo alejado, en la mesa de los Vidal y los Gris se produjo un leve revuelo de emoción. Qué cosa tan rara la que les acababa de ocurrir. «Qué casualidad», insistía en decir Berta. Pero Dolores opinaba que no era casualidad, que a lo mejor eran miles de japoneses los que llevaban anillos como aquellos. Las niñas contemplaban sus joyas muy orgullosas, como si fueran talismanes de poderes magníficos.

–¿No nos habrán tomado el pelo? –desconfiaba Antonio Gris.

–No parecía que se estuvieran burlando. Parecían serios. Y míralos ahora, en esa mesa, tan tranquilos.

No era fácil de creer, pero había que creerlo. Las niñas, a partir de aquel momento, estuvieron mucho más contentas, ya no tenían la sensación de haber sido estafadas sino que, muy al contrario, la posesión de aquellas alhajas las convertía en personas especiales.

Por la tarde visitaron el templo que Cleopatra construyó para Marco Antonio y, cuando ya regresaban al barco, se llevaron un buen susto. La segunda experiencia misteriosa del día.

Un hombre anciano, encorvado por los achaques, vestido con chilaba de un rojo descolorido, turbante negro y una larga barba blanca, se precipitó hacia las dos familias como si quisiera hacer daño a las niñas. Parecía que se disponía a agarrar a Paula de la mano cuando Joaquín Vidal se interpuso («Eh, un momento, ¿qué pasa?»), y el viejo árabe le replicó parloteando muy deprisa y señalando con sus dedos deformados por la artritis las manos de la niña. De las niñas.

El anillo. Los anillos. Se estaba refiriendo a los anillos.

Tanto a los Vidal como a los Gris les sobrecogió la vehemencia de aquel hombre a la vista de los anillos rojos. Parecía a punto de estallar, de tener un ataque de algo. Mostró su propia mano quebrada, donde lucía un anillo rojo igual. Los turistas se miraron entre sí, maravillados, con la sensación de estar asistiendo a un auténtico milagro.

El árabe, para expresarse mejor, buscó en el bolsillo de la chilaba y sacó un papel amarillento y arrugado. Pidió algo con que escribir. Dolores le alcanzó un rotulador y él garrapateó unos cuantos signos árabes y se lo entregó.

فيليسيداد

Hasta ese momento, no disminuyó la tensión de su espíritu. En cuanto hubo entregado el papel, el viejo se quedó repentinamente tranquilo, como si acabara de cumplir una misión trascendental.

–¿Qué significa? –le preguntó Antonio Gris.

El hombre no comprendía فيليسيداد. Ya se había quedado tranquilo, ya podía sonreír y dedicarles zalamerías de despedida. Buen viaje.

–Pero espere, buen hombre. ¿Qué significa esta palabra?

El viejo sabio hizo una especie de reverencia y se fue, se alejó, para dedicarse a sus modestas tareas. Los Vidal y los Gris tenían que subir al barco porque pronto zarparía hacia una nueva escala.

Más tarde, cuando el anciano árabe regresó al tende-rete de Al-Magharba, el hombre hosco, que era su hijo, le preguntó qué había hecho. Su padre le relató que había movilizado a sus amigos japoneses para un pequeño juego con las niñas españolas. El otro comentó escéptico:

–Pero eso no hará que los anillos valgan más dinero.

–Quizá no –murmuró el viejo sabio, más para sí mis-mo que para el hijo, porque creía que quien no puede en-tender nunca entenderá–. Pero a partir de ahora llevan consigo una leyenda, y eso vale mucho más que el dinero.

Aquella noche, los Vidal y los Gris preguntaron a uno de los camareros del barco y les dijo que فيليسداد significaba algo así como «felicidad».

Qué curioso fue lo que les sucedió en Alejandría. Nunca han podido olvidarlo.

Desde entonces, los anillos de coral y los mensajes de buenaventura están ahí, ocupando un lugar preferente en los domicilios de los Vidal y los Gris.

幸福は道です。 運命ではありません。

فيليسداد

Y Alicia Vidal decide dejar su anillo rojo donde está, porque tiene la seguridad de que su influjo mágico se-guirá protegiéndola esté donde esté.

Y no hay que hacer trampas. Nunca. Porque el pri-mero que pierde es quien las hace.

TE CUENTO QUE ANDREU MARTÍN...

... es escritor porque en su colegio no había patio. Aunque creas que eso no tiene nada que ver, para él fue definitivo. Como no podía salir al recreo y tampoco se podía levantar de la silla, solo podía jugar a hablar. Andreu y sus compañeros aprovechaban ese rato para contarse aventis (aventuras) de los héroes de los tebeos que leían. Un día descubrió que también podía jugar a ese juego solo: podía contarse aventis escribiéndolas. Y empezó a jugar a hacer libros...

*... y hasta hoy, en que continúa jugando a escribir, y eso de contar aventis sigue siendo su diversión preferida. Como esta de **Hijas únicas**, que, aunque te parezca increíble, está inspirada en un hecho que ocurrió en realidad, y es que muchas veces la vida es toda una aventura.*

SI TE HA GUSTADO **HIJAS ÚNICAS** PORQUE TRATA LAS RELACIONES ENTRE PADRES E HIJOS DE UNA FORMA MUY DIVERTIDA, NO TE PIERDAS LOS LIBROS DE LA SERIE **EL DIARIO DE AURORA**, donde su protagonista nos cuenta en primera persona las peripecias de su día a día con mucho sentido del humor.

NUNCA CONTENTA
Marie Desplechin
EL BARCO DE VAPOR,
SERIE EL DIARIO DE AURORA, N.º 1

SIEMPRE ENFADADA
Marie Desplechin
EL BARCO DE VAPOR,
SERIE EL DIARIO DE AURORA, N.º 2

SE ACABÓ
Marie Desplechin
EL BARCO DE VAPOR,
SERIE EL DIARIO DE AURORA, N.º 3

SI LO TUYO SON LAS HISTORIAS DE ENREDO QUE TIE-
NEN COMO PUNTO DE PARTIDA UNA FAMILIA UN POCO
PARTICULAR, **CUANTOS MÁS, MEJOR** te hará reír desde la
primera página. Acompañarás a Ralph en sus vacaciones de Navidad en familia. Con el tío Tristram dándole
patadas al gato, mamá al borde del ataque
de nervios, una abuela majareta, una bisa-
buela mordaz y toda una tropa de primos
gamberros.

CUANTOS MÁS, MEJOR
Anne Fine
EL BARCO DE VAPOR, SERIE ROJA, N.º 180

ALICIA Y PAULA, LAS PROTAGONISTAS DE **HIJAS ÚNI-
CAS**, SE DARÁN CUENTA DE QUE LAS COSAS NUNCA SON
TAN SENCILLAS COMO PARECEN. AUNQUE A LO MEJOR
SÍ LO SON. ESTO ES LO QUE TIENES QUE DESCUBRIR
A LO LARGO DE LAS PÁGINAS DE **ASÍ ES LA
VIDA, LILI**, una novela que comienza cuan-
do Lili parte de vacaciones con su padres, pa-
ran en una gasolinera a comprar una botella
de agua y...

ASÍ ES LA VIDA, LILI
Valérie Dayre
EL BARCO DE VAPOR, SERIE ROJA, N.º 185